Encyclopédie
des Mythologies
du Monde

ENCYCLOPÉDIE DES MYTHOLOGIES DU MONDE

casterman

Texte original
David Bellingham (Introduction, Les pays méditerranéens),
Dr David M Jones (Les pays du Nord),
Margaret Carey (L'Afrique),
Louise Tythacott (L'Extrême-Orient),
Kathleen McPhilmeny (L'Amérique latine, le Pacifique Sud).

Traduction et adaptation
Jean-Marie Merle et Nicolas Blot

Photographie de couverture
© Dagli Orti, Paris

Conception et production
Titre original : *The Kingfisher Book of Mythology*
© Kingfisher Publications Plc
Londres, 2001

Édition française
© Casterman, 2002
ISNB 2-203-14245-6

Dépôt légal : octobre 2002
D. 2002/0053/359

Déposé au Ministère de la Justice, Paris
(loi n° 49.956 du 16 juillet 1949
sur les publications destinées à la jeunesse).

Imprimé en Chine.

SOMMAIRE

UN MYTHE N'EST PAS

Plus de cinq cents personnages appartenant aux mythes du monde entier figurent dans cet ouvrage. Certains sont très connus et familiers du jeune public, d'autres méritent d'être découverts.

Les récits et les thèmes présentés forment l'ossature des mythologies du monde entier. Chaque partie de l'ouvrage correspond à une région précise, se ressemblent d'une région à l'autre, même très éloignées.

Chaque peuple est d'abord présenté brièvement, ainsi que sa mythologie. Viennent ensuite, classés par ordre alphabétique, ses principaux dieux, déesses et héros. Les noms en **PETITES CAPITALES** font systématiquement l'objet d'une notice.

En fin de volume, un glossaire précise le sens de certains mots : avatar, oracle, chaman... tandis qu'un index permet de retrouver tous les noms propres.

et s'ouvre sur une carte permettant de situer les peuples et les noms de lieux cités. Une chronologie signale par ailleurs les moments forts de chaque civilisation.

En observant comment, par leurs déplacements, les peuples établirent des liens entre les cités et les pays, vous comprendrez mieux l'expansion des mythes et pourquoi tant de récits

Les textes sur fond de couleur précisent les origines de tel ou tel peuple, ses coutumes et croyances, ses rites et ses pratiques.

QU'UNE BELLE HISTOIRE...

Le mot « mythe » vient du grec *muthos*, qui signifie « récit ». Chaque histoire racontée par les mythes a un sens et un but. Il s'agit en effet d'expliquer l'ordre du monde, ainsi que les relations entre les dieux et les déesses d'une part, entre les humains d'autre part. Les événements racontés peuvent bien sembler invraisemblables, le récit aura souvent une signification profonde, religieuse ou sociale.

Un mythe n'est pas seulement une belle histoire...

Les hommes se sont toujours efforcés de comprendre les mystères du monde, de chercher des réponses à une multitude d'interrogations : Qui a créé l'univers ? Qu'est-ce qui provoque les orages ? Pourquoi les humains sont-ils différents des animaux ? Les mythes sont nés pour donner un sens aux phénomènes qui nous entourent. C'est ainsi que chaque peuple possède ses propres mythes, qui s'organisent en un ensemble cohérent que l'on appelle « mythologie ».

Le chaman Atotaroh (page 24)

Narasimha, l'homme-lion (page 103)

COMMENT LES MYTHES ONT-ILS SURVÉCU ?

Certains mythes se transmettent, oralement ou par écrit, depuis des millénaires, sans doute en raison du rôle qu'ils ont joué dans la plupart des religions : ils confortent les croyances et les conservent intactes de génération en génération.

Naturellement, un mythe a plus de chances de survivre s'il raconte une histoire intéressante. De nombreux récits ayant pour but d'enseigner aux hommes leur conduite sur terre, ils doivent, pour être bien compris, tenir l'auditoire en haleine dès les premiers mots. Il était une fois...

LE BIEN ET LE MAL

Ces deux notions figurent souvent en bonne place dans les récits mythologiques. Elles diffèrent d'une société à l'autre, mais dans la plupart des mythologies coexistent les êtres qui apportent aux hommes souffrance et désordre, et ceux qui donnent aide et protection. Lorsqu'un monstre malfaisant est vaincu par la bravoure, la force ou la ruse, les exploits du héros servent d'exemple : il faut savoir choisir entre bonne et mauvaise conduite. En récompense, le héros reçoit un don — la vie éternelle, par exemple —, tandis que le traître est frappé d'un terrible châtiment.

DIEUX ET DÉESSES

La mythologie explique également les relations entre les hommes et les divinités. Si dieux et déesses diffèrent d'un récit à l'autre, les mythologies reflètent souvent l'idéal des peuples qui les vénèrent. Les divinités possèdent des qualités hors du commun : l'esprit, la beauté, la force... Et dans toutes les sociétés ou presque, la famille régnante, pour affirmer son autorité, se proclame volontiers d'ascendance divine.

La plupart des sociétés croient en un dieu suprême, inaccessible et tout-puissant, entouré d'esprits et de divinités secondaires. Certains peuples représentent leurs dieux sous des traits humains et leur attribuent un comportement semblable à celui des hommes. Les divinités grecques éprouvent ainsi les mêmes jalousies et les mêmes rancunes que le commun des mortels. La plupart des sociétés associent également les divinités aux manifestations de la nature, notamment le soleil et la lune.

Mais dieux et déesses ne sont pas toujours à l'image des hommes. Ainsi, dans certains mythes d'Amérique du Nord et de Sibérie, les animaux, et en particulier les oiseaux, ont le statut de divinités. Dans les mythologies méditerranéennes, les dieux revêtent des apparences mi-humaines mi-animales, comme Anubis, le dieu égyptien à tête de chacal. Bien qu'elles rendent parfois visite aux humains, les divinités séjournent hors du monde, dans des contrées célestes ou souterraines. Le ciel, la terre et les enfers sont quelquefois reliés par une chaîne, une colonne ou un arbre : ainsi dans les mythologies scandinave ou sibérienne.

L'archer Yi (pages 110 et 115)

LES MYTHES DE LA CRÉATION

De nombreux mythes sont consacrés à la naissance de l'univers et de l'humanité. Une divinité créatrice préexistant à toutes choses est souvent à l'origine de tout — par exemple le dieu Ptah chez les Egyptiens, ou la déesse Ilmater dans la mythologie finnoise. Les divinités créatrices

L e grand magicien
Yanauluha (page 31)

changent selon les récits, mais l'histoire centrale est souvent très proche.
Au commencement, l'univers est informe : c'est le chaos, ou le néant, dont naissent, un à un, les éléments et les astres, le soleil, la terre, la lune, souvent nommés d'après des divinités. En Asie et en Afrique, certains mythes racontent la manière dont les vents mêlèrent l'eau et la terre, et comment de ce mélange ont pris forme la terre et le ciel qui l'enveloppe. Le ciel arrosa alors la terre, et la vie fit son apparition. Il existe un mythe grec similaire, dans lequel la terre, Gaia, et le ciel, Ouranos, naissent du chaos. Dans les mythes indiens, égyptiens et japonais, les éléments primordiaux sont d'abord contenus dans un immense œuf cosmique flottant dans l'espace.

LES PREMIERS HOMMES

Dans certaines mythologies, les hommes ont pour ancêtre un personnage mi-animal mi-humain. Chez les Indiens d'Amérique, ils sont issus des entrailles de la terre. Dans d'autres récits, ils croissent comme des plantes. Selon un mythe chinois, la déesse Nügua créa les premiers hommes pour remédier à sa solitude...
Les humains ont offensé les dieux et, dans la plupart des mythologies, en Inde, au Proche-Orient, en Grèce, en Indochine, en Amérique, ils furent châtiés par un déluge. L'espèce humaine fut alors anéantie, à l'exception d'une famille destinée à faire souche.

LES HÉROS

Toutes les mythologies ont leurs héros — des humains qui accomplissent des prouesses hors du commun ou qui entreprennent des voyages extraordinaires.

L a déesse Nügua
(pages 114 et 115)

9

Les héros diffèrent en fonction des idéaux de chaque culture, mais ils présentent néanmoins des traits communs.

Ce sont en général des hommes et non des femmes, car dans la plupart des civilisations, les hommes occupent les postes de commandement. Il arrive parfois que des femmes aient un comportement héroïque, mais toujours aux côtés des hommes, selon des critères virils, et bien souvent pour leur malheur. Dans la mythologie grecque, la déesse Athéna vient toutefois en aide aux héros et les protège. Parfois le héros a pour parents un mortel (ou plutôt une mortelle) et une divinité, comme Olofat, héros micronésien, fils du dieu soleil. Le héros possède une force physique hors du commun et son intelligence est souvent mise à l'épreuve.

Il poursuit en général un but précis et part en quête d'un objet sacré. Chemin faisant, il délivre les peuples qu'il rencontre des monstres qui les persécutent. Il lui arrive d'être grièvement blessé, mais la magie le guérit en général de ses blessures. Une fois ses exploits accomplis, le héros est récompensé et rejoint parfois les divinités dans l'immortalité.

Les héros bienfaiteurs sont ceux qui, par leur habileté, leur audace ou leur ruse, établissent les fondements des sociétés humaines. Tel, par exemple, apporte le feu à son peuple, ou encore lui enseigne les lois de la civilisation. Exceptionnellement, dans la mythologie des Lakotas, en Amérique du Nord, c'est une femme qui apporte la pipe sacrée au chef indien.

L'AU-DELÀ

De nombreux mythes racontent ce qui vient après la mort. Les traditions définissent différents séjours qui accueillent les morts selon la façon dont ils se sont conduits de leur vivant. Dans la mythologie scandinave, par exemple, les guerriers morts en héros sont emportés dans les cieux par les Walkyries jusqu'au palais du dieu Odin, le Walhalla. Quant aux méchants, ils sont punis, condamnés à l'errance pour l'éternité, ou à des séjours infernaux où ils sont tourmentés sans fin par des démons.

L'une des Walkyries (page 53)

LES ANIMAUX ET LA NATURE

Les animaux jouent un rôle important dans toutes les mythologies, tout particulièrement chez les peuples de chasseurs et d'agriculteurs. En Sibérie, on chassait l'ours brun tout en lui attribuant des pouvoirs semblables à ceux des dieux.

En Amérique du Sud, le jaguar est entouré du plus grand respect. Il figure dans de nombreux récits, dont certains disent que sa chair ne doit pas être consommée. Dans la mythologie grecque, on rencontre des animaux divins, comme le cheval ailé Pégase. En Afrique, le lièvre, ou encore l'araignée, figurent fréquemment dans les mythes au côté d'autres animaux plus gros et moins rusés. En Chine, les aventures du roi-singe sont héroïques. Dans les arbres et dans les sources, séjournent souvent des esprits ou des divinités qui manifestent leur colère lorsque l'arbre est blessé ou encore la source polluée. Ces mythes témoignent de l'intérêt et du respect dont on entourait la nature. Dans la mythologie scandinave, l'Arbre du Monde est au cœur de l'univers.

Le dieu Loki, transformé en aigle (page 49)

LES CRÉATURES FABULEUSES

On en rencontre dans tous les récits, tout comme nos films de science-fiction sont peuplés de monstres de l'espace. Ce sont de redoutables ennemis pour le héros qui les affronte et celui-ci devient, en les détruisant, le sauveur du pays qu'ils infestent. Ces monstres ont fréquemment le corps d'un serpent : ainsi l'Hydre de Lerne, serpent à plusieurs têtes vaincu par le héros grec Héraclès, ou encore les dragons qui peuplent les mythes celtes et asiatiques.

Comment le lièvre se joue de l'éléphant et de l'hippopotame (page 61)

LES LIEUX SACRÉS

Dans toutes les cultures, certains lieux sont tenus pour sacrés en raison de leurs liens avec un événement mythique. Dans les civilisations qui respectent la nature — cultures africaines, aborigènes d'Australie, indiennes d'Amérique —, on manifeste une vénération pour tels ou tels lieu, cours d'eau, montagne, grotte, en y laissant des objets, des peintures ou autres offrandes à l'intention des esprits du lieu. Ces lieux sacrés sont parfois une étape dans les rites d'initiation des adolescents,

Talisman utilisé par un chaman d'Amérique du Nord pour guérir les malades

au moment où ils doivent être admis dans la société des adultes. Ils peuvent également être le cadre de fêtes et de cérémonies : ainsi, le totem des Amérindiens marque un point sacré autour duquel s'organisent les danses rituelles.

Les civilisations dotées d'une architecture ont édifié des temples. Ces édifices sacrés se trouvaient souvent à la campagne, même lorsqu'une civilisation était devenue citadine. On choisissait pour les construire un lieu où s'étaient manifestées les divinités auxquelles ces temples étaient consacrés. Des jours de fêtes étaient fixés pour honorer les dieux.

COMMUNIQUER AVEC LES DIVINITÉS

Les hommes parlent avec les dieux de différentes manières, souvent en leur adressant des hymnes, des prières, des sacrifices. Dans toutes les sociétés, prêtres et prêtresses établissaient le lien entre monde mythique et monde réel. Ce sont eux qui transmettaient les mythes et leurs enseignements.

Dans certaines religions, un chaman communique avec le monde des esprits et joue le rôle d'intermédiaire entre les hommes et les divinités. Les chamans ont recours aux mythes pour guider les hommes entre monde spirituel et vie quotidienne. La force du mythe et son pouvoir se mesurent aisément au respect que l'on accorde au chaman tout comme au prêtre.

Cérémonie dans le temple d'Amon-Rê (page 74)

MAIS D'OÙ VIENNENT LES MYTHES ?

Depuis des siècles, on s'interroge sur les origines des mythes. Il y a plus de deux millénaires, un savant grec du nom d'Euhemeros émit l'idée que tous les mythes s'appuyaient sur des événements historiques, déformés au fil du temps par l'exagération des narrateurs successifs. Plus récemment, d'autres théories ont vu le jour, dont celle qui veut que tous les mythes aient été, à l'origine, des récits symboliques dans lesquels personnages et événements représentaient des idées. Aucune de ces théories n'a fait l'unanimité.

L'IMPORTANCE DES MYTHOLOGIES

L'étude des mythologies aide à mieux comprendre le passé des civilisations. Complétant les travaux des historiens et les découvertes des archéologues, les mythes donnent de précieux indices sur la pensée d'un peuple, ou encore sur l'art de vivre d'une société. Connaître tel ou tel mythe, c'est également découvrir les coutumes et les valeurs du peuple qui le raconte, établir des comparaisons. En Océanie, par exemple, la mer figure au cœur de nombreux récits, qui témoignent de la place qu'elle occupe dans la vie quotidienne des Océaniens. Les mythes de l'Égypte antique montrent à quel point on se préoccupait de la mort et de l'au-delà. Les mythologies du monde entier diffèrent sans doute dans leurs détails, mais il est

Pahmuri-Mahse sur son canoë (page 137)

frappant de voir combien leurs thèmes essentiels se ressemblent. Tous les peuples se sont posé des questions semblables à propos de l'univers. Ils ont souvent partagé les mêmes espérances et les mêmes craintes. Certains définissent le mythe comme un « thème religieux transmis par la tradition ». Mais les spécialistes ne s'accordant pas sur cette définition, elle n'a pas été retenue dans cet ouvrage. C'est pourquoi ne figurent pas les récits appartenant aux religions juive, chrétienne et musulmane. On remarquera cependant de nombreuses similitudes entre ces trois traditions et les mythes ici contés.

LES PAYS DU NORD

Les populations de Sibérie, ainsi que les Inuits des régions arctiques et subarctiques, sont des descendants de peuples venus d'Asie centrale il y a plusieurs millénaires. Les ancêtres des Inuits et des Amérindiens, que l'on appelle à tort les « Indiens d'Amérique », ont franchi l'espace séparant l'Asie de l'Amérique lors de la dernière glaciation. Le niveau des mers était plus bas qu'aujourd'hui, et la bande de terre correspondant au détroit de Béring n'était pas recouverte par les eaux. La plupart des mythes de ces régions ont ainsi pour origine les croyances des peuples d'Asie.

Dans le nord de l'Europe, les civilisations celtes, slaves et scandinaves ont, quant à elles, fait leur apparition entre le VIe siècle av. J.-C. et le Ve siècle de notre ère. Les mythes européens possèdent des composantes qui semblent également provenir du Proche-Orient antique et même de l'Inde.

La plupart des peuples nordiques croyaient en un dieu suprême, mais lui adjoignaient des divinités secondaires commandant aux forces de la nature. Par ailleurs, chaque communauté comptait des personnalités auxquelles on attribuait le pouvoir de communiquer avec les esprits. Chacune possédait également un mythe des origines, et nombre de peuples avaient une conception complexe de l'univers, composé de plusieurs mondes reliés par un arbre ou par une perche.

Durant la dernière glaciation (vers 10 000 av. J.-C.), des hommes venus d'Asie centrale gagnent l'Amérique.

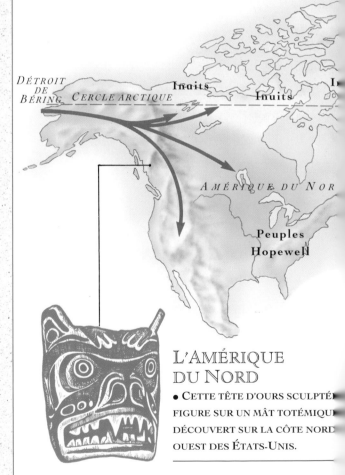

DÉTROIT DE BÉRING — *CERCLE ARCTIQUE* — **Inuits** — **Inuits** — I

AMÉRIQUE DU NOR

Peuples Hopewell

L'AMÉRIQUE DU NORD
● CETTE TÊTE D'OURS SCULPTÉE FIGURE SUR UN MÂT TOTÉMIQUE DÉCOUVERT SUR LA CÔTE NORD-OUEST DES ÉTATS-UNIS.

LES SCANDINAV
● AMULETTE SUÉDOISE, REPRÉSEN LE MARTEAU DU DIEU T

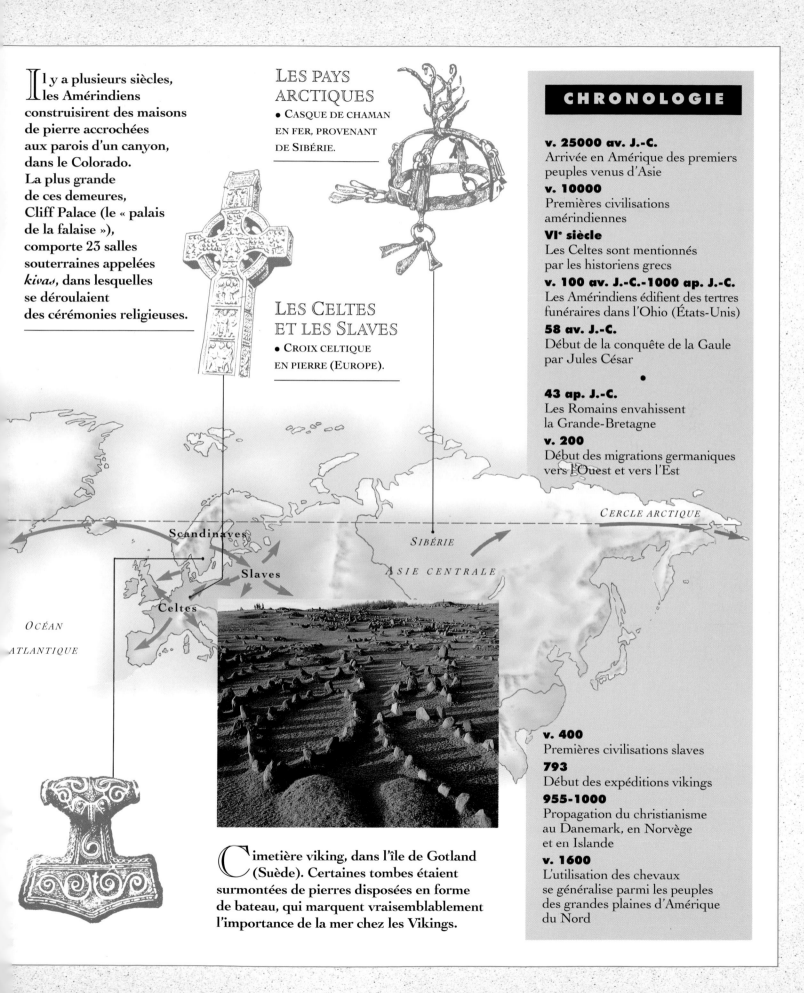

Il y a plusieurs siècles, les Amérindiens construisirent des maisons de pierre accrochées aux parois d'un canyon, dans le Colorado. La plus grande de ces demeures, Cliff Palace (le « palais de la falaise »), comporte 23 salles souterraines appelées *kivas*, dans lesquelles se déroulaient des cérémonies religieuses.

LES PAYS ARCTIQUES
● CASQUE DE CHAMAN EN FER, PROVENANT DE SIBÉRIE.

LES CELTES ET LES SLAVES
● CROIX CELTIQUE EN PIERRE (EUROPE).

Scandinaves

Slaves

Celtes

SIBÉRIE

ASIE CENTRALE

CERCLE ARCTIQUE

OCÉAN
ATLANTIQUE

Cimetière viking, dans l'île de Gotland (Suède). Certaines tombes étaient surmontées de pierres disposées en forme de bateau, qui marquent vraisemblablement l'importance de la mer chez les Vikings.

LES TERRES ARCTIQUES

Les terres situées à proximité du pôle Nord
se caractérisent par un climat très froid
et une végétation très pauvre. Pour les groupes
humains disséminés dans cette région du monde
(Inuits d'Amérique du Nord et du Groenland,
peuples du nord de la Sibérie et de la Scandinavie),
un tel milieu implique des conditions de vie très rudes.
Le climat interdit toute agriculture et, jusqu'à une époque
récente, les seuls moyens de subsistance ont été la chasse
et la pêche. Il n'est donc pas étonnant que la faune
et les phénomènes climatiques occupent une place importante
dans la mythologie du Grand Nord.

LE MONDE DES ESPRITS

On ne trouve pas de dieu suprême dans la tradition des Inuits :
toute la nature est gouvernée par des esprits.
Les principaux sont ceux de la mer, **SEDNA**,
de l'air, Sila, et de la lune, **TARQEQ**.
Le pouvoir des esprits s'étend sur tous
les aspects de la vie quotidienne.
Pour communiquer avec eux, chaque
communauté possède ses chamans,
prêtres magiciens qui utilisent les
techniques de l'extase et de la transe.
Tandis que leur corps échappe

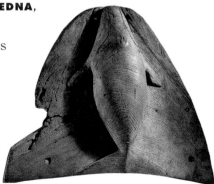

à toute conscience, l'âme des
chamans pénètre le monde des
esprits. Ils adressent alors leurs
requêtes, soit pour obtenir aide
et bienveillance à la chasse ou
à la pêche, soit en vue de savoir
quels remèdes utiliser pour
soigner un malade.
Dans la tradition des Inuits, les
hommes peuvent se réincarner
après la mort, c'est-à-dire
revivre sous une nouvelle forme
corporelle ; de même les animaux,
ce qui permet au gibier de se
renouveler. Une partie de l'âme
du défunt gagne le séjour des

APAISER LES ESPRITS

Les Inuits observent certains
rites liés à la pêche et à la chasse,
car il est important de s'assurer
la bienveillance de Sedna.
Chaque année, lors
d'une cérémonie propitiatoire
(destinée à rendre propice),
ils rejettent à la mer
des vésicules d'animaux tués.

Cette sculpture représentant
un mammifère marin était
fixée à un bateau de pêche, en signe
de respect. Chez les Inuits, pêcheur
et animaux capturés ont droit
à la même considération.

Les Inuits pratiquent la chasse
et la pêche dans un paysage
de glaces. Ils demandent aux esprits
de les aider à rapporter une pêche
fructueuse.

Chez les Inuits et chez les peuples de Sibérie, on trouve une croyance commune selon laquelle plusieurs mondes sont superposés. La terre se trouve au milieu. Les esprits bienveillants séjournent dans les mondes supérieurs, tandis que les esprits maléfiques demeurent dans les mondes inférieurs. Un arbre mythique chemine entre ces mondes et les relie. Au cours de sa transe, le chaman suit cette voie pour atteindre les esprits.

LE RÈGNE ANIMAL

La mythologie des peuples de l'Arctique témoigne d'une haute considération pour les animaux. La tradition leur attribue une âme et place la proie sur le même plan que le chasseur, l'animal se livre de lui-même au chasseur, qui le respecte. On attribue en particulier un grand pouvoir à l'ours brun, le « Seigneur de la forêt », qui peut se montrer très dangereux. Il a également un pouvoir de guérison : sa graisse est utilisée comme onguent pour les blessures. Certains peuples de Sibérie se disent par ailleurs descendants d'ancêtres mi-ours mi-hommes.

Terrifiés, Sedna et son père essaient d'échapper à l'oiseau des tempêtes (voir p. 18).

morts ou le royaume du ciel — deux mondes situés l'un au-dessous, l'autre au-dessus de la terre — tandis qu'une autre partie se réincarne dans un nouveau-né. Si celui-ci reçoit le nom du défunt, il hérite également une part de sa personnalité.

JOUR ET NUIT

Il existe en Sibérie un mythe qui explique le jour et la nuit. Un élan capture le soleil tous les soirs et l'emporte sur ses bois, plongeant le monde dans l'obscurité. Heureusement, durant la nuit, un héros rend sa liberté au soleil et le ramène à temps pour qu'il brille au matin.

De même, le mammouth occupait, au cours de la préhistoire, une place importante en Sibérie, pour sa viande d'abord, mais également pour ses os et sa toison, dont on se servait pour fabriquer outils ou vêtements. De nos jours, cet animal a complètement disparu, mais la mythologie rappelle qu'il contribua, grâce à ses défenses respectables, à façonner le relief de la terre, et qu'il règne à présent sur le monde souterrain.

Pendant sept cents ans, la déesse Ilmater flotta, seule, à la surface de l'océan. Puis elle aperçut un aigle au-dessus de l'horizon. Ilmater forma un creux sur ses genoux et l'aigle vint y faire son nid. Il pondit sept œufs, mais la déesse en fut tellement émerveillée qu'elle remua les genoux : les œufs tombèrent et se cassèrent à la surface des eaux. Avec les coquilles, la terre fut créée. Le jaune devint le soleil et le blanc, la lune et les étoiles.

AJYSYT Déesse-mère chez les Yakoutes, peuple de Sibérie. En sa demeure céleste, elle trace le destin des enfants dans un registre d'or. Quand survient une naissance, elle descend du ciel pour apporter son âme au nouveau-né.

•

ANGAKOQ Nom donné par les Inuits à leurs chamāns (prêtres magiciens capables de communiquer avec les esprits). Chacun d'eux est protégé par un « tornaq », esprit protecteur qui peut revêtir diverses formes : homme, ours ou rocher. Le pouvoir du tornaq permet à l'Angakoq de se faire guérisseur, d'influencer le temps qu'il fait, de rendre fructueuses la pêche et la chasse, et d'apaiser **SEDNA**, l'esprit de la mer.

•

BOUGA Dieu suprême des Toungouses, peuple de Sibérie. Il créa les premiers hommes, prenant la terre pour en faire la chair, l'eau pour le sang, le fer pour le cœur, et le feu pour réchauffer leur corps.

•

ERLIK Esprit maléfique, dans la mythologie des Sibériens et des Lapons. Certains récits disent qu'il contribua à la création du monde aux côtés d'**ULGAN**, l'Être suprême. Selon d'autres récits, Ulgan façonna Erlik avec de la boue flottant sur les eaux de l'océan. Erlik règne sur les morts, tandis qu'Ulgan exerce son empire sur les vivants.

•

ILMATER Déesse de la création, dans la tradition finnoise. Au commencement, elle était seule, flottant sur le chaos de l'océan. Après sept cents ans, elle créa la terre, le soleil, la lune et les étoiles avec les œufs d'un aigle. Puis, lassée de l'uniformité du monde, elle se mit à sculpter les montagnes et les îles, à creuser les vallées, avant de faire courir les rivières dans le paysage qu'elle avait façonné.

•

JUMALA (voir **UKKO**) Dieu suprême des Finnois, créateur de la terre. Associé au chêne, il règne également sur le ciel.

•

KUL Cet esprit des eaux arctiques se montre parfois malveillant, mais il vient aussi en aide aux pêcheurs du Grand Nord. Par crainte et par reconnaissance, on lui offre les premiers poissons pêchés au début de chaque saison.

•

PINGA Chez les Inuits, cette déesse toute-puissante domine le monde surnaturel et les esprits, y compris **TARQEQ**. Protectrice de tous les êtres vivants, elle veille sur la chasse et aide les **ANGAKOQ**.

•

SEDNA Cette jeune fille d'une grande beauté épousa l'oiseau des tempêtes, après que ce dernier lui eut promis une vie de fastes et d'abondance. Mais tout n'était que mensonges. Un jour où son père lui rendit visite, la malheureuse le supplia de la ramener chez lui. Tandis qu'ils s'échappaient dans le bateau du père, le pétrel se lança à leur poursuite, déchaînant une tempête qui menaçait de les engloutir. Le père, voulant sauver sa propre vie, jeta Sedna par-dessus bord, mais elle s'agrippa au bateau. Pour lui faire lâcher prise, il lui coupa les doigts articulation par articulation. Les phalangettes de Sedna devinrent des phoques, ses phalangines des otaries, et ses phalanges des morses. Elle coula ensuite au plus profond de la mer, où elle règne maintenant sur Adlivum, le séjour des morts. Elle devint si hideuse et repoussante que seuls les **ANGAKOQ** osent désormais lever les yeux sur elle.

•

TARQEQ Esprit de la lune, chez les Inuits, et grand chasseur. Il séjourne au ciel, d'où il surveille la conduite des hommes.

Selon les Inuits de l'Alaska, il gouverne aussi les animaux.

●

TULUNGUSAQ Dieu créateur, chez les Inuits. Il descendit de sa demeure céleste sous l'aspect d'un corbeau. Il créa d'abord la terre qui émerge des eaux, ensuite un homme, puis les animaux et les plantes, et enfin la femme, pour donner une compagne à l'homme. Ayant revêtu la forme humaine, Tulungusaq enseigna à l'homme et à la femme le parti qu'ils pouvaient tirer des animaux, leur apprit à faire du feu et à s'occuper de leurs enfants. Tulungusaq est parfois appelé le Père-Corbeau.

●

UKKO Dieu du ciel, chez les Finnois, dont il finit par devenir le dieu suprême, prenant ainsi la succession de **JUMALA**.

●

ULGAN (voir **ERLIK** et **YRYN-aï-TOJON**)

●

VAÏNAMOÏNEN Magicien de la mythologie finnoise, héros des récits rassemblés sous le titre de *Kalevala*. Il possédait le sampo, moulin magique grâce auquel tous les vœux se réalisaient. Il donna le sampo aux Lapons pour obtenir la main de la Demoiselle du Nord. Prenant une mâchoire de cheval en guise de cadre et de longs crins pour en faire des cordes, il fabriqua ensuite un instrument de musique ressemblant à une harpe, qu'il appela *kantle*. Il en joua pour endormir les Lapons et profita de leur sommeil enchanté pour reprendre le sampo.

●

YAMBE-AKKA « Vieille femme des morts », dans la mythologie des Lapons, elle règne sur le séjour des morts, monde en tous points semblable à notre terre, mais où les esprits ont la faculté de se déplacer dans les airs. L'entrée du séjour des morts se trouve à l'embouchure d'une rivière qui se jette dans les glaces arctiques.

●

YRYN-aï-TOJON Dieu créateur, chez les Yakoutes. En Sibérie, il est aussi connu sous le nom de **ULGAN**. Au commencement, seul existait l'océan. Un jour, Yryn-aï-Tojon rencontra l'esprit du mal, qui se vanta de vivre à pied sec dans les profondeurs des eaux. Le dieu persuada l'esprit

de lui apporter de la terre, puis il l'étala sur les eaux et s'assit. L'esprit malin tenta alors de briser le siège du dieu en tirant d'un côté, mais plus il tirait et plus il l'agrandissait. Il tira tant et tant que l'îlot devint un continent. C'est ainsi que furent créées les terres émergées.

Le magicien Vaïnamoïnen joue de son instrument enchanté, le *kantle*, pour endormir les Lapons (voir p. 19). Vaïnamoïnen est le héros d'un recueil d'aventures intitulé *Kalevala*, constitué au XIXᵉ siècle à partir de récits issus de la tradition finnoise.

L'AMÉRIQUE DU NORD

Les premiers peuples d'Amérique du Nord sont venus de Sibérie par petits groupes successifs, sur une période de plusieurs millénaires. Le niveau des mers étant plus bas qu'aujourd'hui, ils gagnèrent le continent américain par une langue de terre située à l'emplacement actuel du détroit de Béring. Ils poursuivirent leur route vers le sud et vers l'ouest, et chaque peuple s'adapta au milieu dans lequel il choisit de s'établir.

C'est ainsi que des centaines de civilisations, de langues et de cultures virent le jour. Les croyances étaient aussi diverses que les modes de vie. Toutefois, certains thèmes — dont les mythes de la création du monde et des origines de l'humanité — se retrouvent dans toutes les mythologies d'Amérique du Nord. Bon nombre de peuples possèdent également leur héros civilisateur, auquel ils doivent leurs lois fondamentales et leurs institutions sociales. Les mythes n'avaient donc pas seulement la fonction de distraire, mais également celle d'instruire, et notamment d'inculquer les règles morales à respecter.

LA MÉMOIRE D'UN PEUPLE

Les Amérindiens ne possédaient pas de tradition écrite. Leurs mythes se transmettaient oralement, par les soins des conteurs les plus talentueux, qui cultivaient leur mémoire afin de ne rien perdre de la culture de leur peuple.

LE GRAND MANITOU

La plupart des Amérindiens croient au **GRAND MANITOU**, dieu tout-puissant, créateur du monde, ou qui inspira sa création. Selon les peuples, il reçoit divers noms : les Salishs l'appellent **AMOTKEN**, les Algonquins **GITCHE MANITOU**. Le Grand Manitou, ou **GRAND ESPRIT**, est une entité abstraite entourée d'êtres plus concrets comme la **TERRE-MÈRE** ou le **CIEL-PÈRE**, chargés de régler les détails de la création. Le personnage primordial le plus couramment rencontré est le Grand Plongeur. Avant le commencement du monde, il plongea dans la mer et en rapporta la boue qui devint la terre. De nombreux mythes précisent que celle-ci repose sur le dos d'une tortue.

RÉGIONS ARCTIQUES ET SUBARCTIQUES

CÔTE NORD-OUEST

PLATEAU

GRAND BASSIN

GRANDE FORÊT

CALIFORNIE

GRANDES PLAINES

SUD-EST

SUD-OUEST

Il existe plusieurs centaines de peuples amérindiens, répartis en grands groupes qui correspondent chacun à une région donnée.

Chez les peuples haidas de la côte Nord-Ouest, le chaman utilisait une crécelle comme celle ci-dessus lors de rituels destinés à guérir les malades ou pour communiquer avec les esprits.

LE TOTEM

Les animaux occupent une place importante dans la mythologie nord-américaine. La tradition rapporte que jadis, ils pouvaient à leur gré prendre forme humaine.

Sur la côte nord-occidentale, certains peuples considèrent que leurs familles et leurs clans ont pour fondateurs des animaux ayant pris apparence humaine. Chacun de ces animaux est devenu « totem », à la fois symbole et ancêtre du groupe social.

Le totem est également la représentation de cet animal mythique, à travers une sculpture de bois monumentale.

LES PREMIERS HOMMES

On en attribue d'ordinaire la création à une ou plusieurs divinités. Dans de nombreux mythes nord-américains, les premiers hommes sortent des profondeurs d'une grotte et se hissent à la surface de la terre, notamment chez les Pueblos, dans la légende de **MASEWI** et **OYOYEWA**.

Une fois venus à la lumière du jour, les hommes ont à leur tête un héros qui les guide dans un grand voyage semé d'épreuves multiples. Chemin faisant, il enseigne aux hommes les règles de conduite et les fondements de la vie sociale. Chez certains peuples, l'ancêtre primordial est une femme : ainsi **ATAENSIC**, chez les Iroquois.

Lors des cérémonies rituelles d'hiver chez les Kwakiutls (côte Nord-Ouest), les danseurs portent des masques représentant l'animal lié à l'histoire sacrée de la communauté.

Ces sculptures situent le clan au sein de la communauté. Elles signalent son statut et exposent les faits essentiels de son histoire. Les totems se dressent souvent à l'entrée du village, près de la tombe d'un chef, ou parfois devant la maison du clan.

L'ESPRIT PROTECTEUR

Dans la mythologie des Amérindiens, divinités et esprits sont omniprésents. Chaque individu possède un esprit qui le protège et le guide toute sa vie. Dès l'adolescence, les garçons, et parfois les filles, partaient en quête d'une vision. Dans un lieu retiré, ils s'efforçaient, par la prière, le jeûne, et parfois même des blessures volontaires, de découvrir leur esprit protecteur. Celui-ci prenait souvent la forme d'un oiseau ou d'un animal. Le monde des esprits était donc accessible à tous, mais

Dessinée sur une peau de bison, cette scène représente une danse liée à la Fête du Soleil, chez les Lakotas. Les danseurs évoluent autour d'un poteau central, qui relie la terre, le ciel et le monde souterrain. Toute la communauté est assemblée, formant un vaste cercle autour des danseurs. Ceux-ci ne s'arrêtent que lorsqu'ils entrent en transe ou s'écroulent de fatigue.

seuls quelques-uns devenaient chamans, c'est-à-dire prêtres magiciens doués de dispositions particulières pour communiquer avec les esprits. Au sein de la communauté, ces qualités se manifestaient souvent dès le plus jeune âge, lors d'une maladie grave par exemple. C'est à travers ses souffrances que le futur chaman

recevait la visite des esprits, qui lui donnaient accès à la connaissance du sacré. La communion du chaman avec le monde des esprits bénéficiait à la communauté de différentes manières : pour trouver du gibier et rendre la chasse fructueuse, mais aussi soigner les maladies dont le remède se trouvait dans le monde des esprits.

Chez les peuples des Plaines, les fêtes rituelles du Bison, accompagnées de danses, devaient assurer une chasse fructueuse et, en conséquence, de la viande et des peaux en abondance.

LES FÊTES RITUELLES

La musique et la danse étaient souvent au centre de cérémonies rituelles liées au souci d'assurer la nourriture du groupe.

La Fête du Blé, par exemple, pour les peuples des terres boisées de l'Est, était une action de grâces par laquelle on exprimait sa reconnaissance après une récolte abondante. Chez les peuples des Grandes Plaines, le soleil était au centre des récits de la création, et la cérémonie la plus importante était la Fête du Soleil, qui avait lieu une fois l'an. A l'origine, cette cérémonie avait pour objet de rendre grâces au soleil pour ses bienfaits.

La danse permettait également d'entrer en communication avec les esprits et d'en recevoir un surcroît de force. En s'infligeant des blessures volontaires au cours de la cérémonie, certains pensaient ainsi se libérer de l'ignorance.

Un autre rite, commun aux peuples des Plaines et à ceux des Forêts de l'Est, consistait à fumer la pipe sacrée, ou calumet.

LES RITES DE GUÉRISON

Dans le Sud-Ouest, les peintures rituelles exécutées au sable, à la terre ou à l'ocre jouent un rôle important dans les rites de guérison. Elles reprennent de mémoire des motifs traditionnels avec la plus grande fidélité, sinon le remède ne peut opérer.

L'AU-DELÀ

Les mythes amérindiens en parlent rarement, sinon pour le décrire comme un lieu semblable à la terre, où toutes les bonnes choses de la vie, et notamment le gibier, se trouvent en abondance. Les tribus des Grandes Plaines le nomment « Pays des chasses éternelles ».

Calumet sioux datant du XIXᵉ siècle.

Ce rite établissait le lien entre la famille, le groupe social et l'univers. Selon une légende du peuple lakota, le premier calumet fut offert à un chef par une femme qui se transforma ensuite en bison. Les calumets étaient sculptés et gravés de symboles représentant la création, ou encore les esprits protecteurs.

Dans le Sud-Ouest, les cérémonies religieuses se déroulaient dans des salles souterraines, les *kivas*. Chaque kiva représente la Terre-Mère. Une ouverture dans le sol symbolise **SHIPAP**, le lieu d'où sortirent les premiers hommes. Une échelle qui passe par une ouverture pratiquée dans le plafond de la salle, mène à la lumière du jour. On dit des prières devant l'autel de la kiva, sur lequel sont disposés des bâtons ornés de plumes et divers objets sacrés.

Les Hopis, peuple du Sud-Ouest, croient que l'âme de celui qui a vécu pour faire le bien devient, après la mort, un esprit appelé **KACHINA**. La moitié de l'année, les kachinas séjournent dans le monde des esprits mais, de l'hiver à l'été, ils reviennent parmi les Hopis. Pendant cette période, ils sont symbolisés par des danseurs, qui portent des masques peints. A chaque kachina correspond un masque différent : il en existe plus de trois cents et chacun possède une personnalité distincte.

Les Hopis adressent aux kachinas des offrandes et des gestes propitiatoires afin de s'assurer d'une récolte abondante.

S elon la légende, Atotaroh était magicien. Grâce à ses pouvoirs, il envoya un oiseau géant tuer la fille de Hiawatha. Ce dernier poursuivit néanmoins son entreprise d'unification des cinq nations iroquoises. Atotaroh finit par se ranger à ses côtés. On voit ici le sage Hiawatha retirant les serpents de la chevelure du magicien pour montrer qu'il est passé du service du mal à celui du bien.

AMOTKEN Dieu créateur du peuple Salish installé dans les montagnes du Nord-Ouest. Vieillard plein de sagesse et de bonté, il veille au bien-être des hommes. Il est le créateur du ciel, où il séjourne solitaire, de la terre et du monde souterrain, tous trois reliés et soutenus par une perche gigantesque.

●

ASAGAYA GIGAGEI A l'origine, dieu du tonnerre du peuple Cherokee, dans les terres boisées de l'Est. Associé à la médecine, c'est à lui que s'adressent les chamans à la recherche de remèdes pour soigner les malades.

●

ATAENSIC Ancêtre primordial des Iroquois et des Hurons, peuples de la région des Grands Lacs. Ataensic était fille du peuple du ciel, composé de divinités descendues sur la terre. Elle mourut en mettant au monde les jumeaux **HAHGWEHDIYU** et **HAHGWEHDAETGAH**. Avec son corps, le premier des deux jumeaux créa la terre. C'est pourquoi elle est à la fois fille du ciel et **TERRE-MÈRE**.

●

ATOTAROH Chef de guerre et chaman légendaire, chez les Mohawks. La tête entourée de serpents, il était si maléfique qu'à sa seule vue, les oiseaux tombaient du ciel. Atotaroh était violemment opposé au dessein de **HIAWATHA**, qui était d'associer les Mohawks à l'union des cinq tribus iroquoises. Il finit par changer d'avis et devint même le chef de la Ligue des nations iroquoises.

●

AWONAWILONA Divinité créatrice des Zunis, à la fois homme et femme, que l'on appelle « Celui en qui toutes choses sont contenues ». Le **CIEL-PÈRE** et la **TERRE-MÈRE** sont nés de brumes et de ruisseaux émanant de son corps. A l'intérieur de la Terre-Mère, quatre matrices contenaient les êtres de la création, parmi lesquels l'homme primordial, **POSHAIYANGKYO**.

●

CIEL-PÈRE Créateur de l'univers, connu sous divers noms chez tous les peuples amérindiens.

CORBEAU Dans la tradition des Haidas du Nord-Ouest, Corbeau est une divinité créatrice. Avant le commencement du monde, il fut expulsé du ciel. L'oiseau ne sut que faire puis, en battant des ailes, il fit émerger peu à peu les terres de la mer primordiale. Il créa ensuite les hommes à partir de coquilles de palourdes, avant de dérober le soleil pour éclairer le monde. Selon d'autres traditions, Corbeau est un être rusé et parfois fourbe.

●

COYOTE Ce personnage, qui se retrouve chez les peuples du Sud-Ouest, de l'Ouest et des Grandes Plaines, est sournois et malfaisant. Il se plaît à provoquer catastrophes et chaos. Chez les Maïdus de Californie, un récit de la genèse conte comment **WONOMI** créa les premiers hommes. Coyote ne tarda pas à se lasser d'observer leur vie paisible. Pour rendre, à sa manière, le monde plus intéressant, il introduisit la maladie, la douleur et la mort. Par un juste retour des choses, le premier frappé fut le fils de Coyote, mordu par Crotale, le compagnon de son père.

●

DZELARHONS Femme légendaire venue épouser Kaïti, le dieu-ours des peuples du Nord-Ouest. Mais celui-ci se montra tout de suite mauvais époux. Dès que Githawn, l'oncle de la jeune femme, en fut informé, il déclara la guerre à Kaïti. Githawn se mit à la recherche de Dzelarhons, qui avait disparu, mais il ne retrouva qu'une statue de pierre à son image.

●

DZOAVITS Dans la mythologie du peuple Shoshone, cet ogre géant avait enlevé les deux enfants de Colombe. Aigle et Grue se joignirent à Colombe pour libérer ses petits. Poursuivis par Dzoavits, ils furent sauvés grâce à Blaireau, qui creusa deux terriers. Colombe et ses petits se cachèrent dans le premier, et lorsque Dzoavits survint, exigeant qu'on lui révélât leur cachette, Blaireau lui montra le second terrier. L'ogre y pénétra tant bien que mal, et dès qu'il y fut tout entier, Blaireau en boucha l'ouverture avec une pierre.

ENIGORIO et **ENIGONHAHETGEA** Chez les Iroquois et plusieurs autres peuples des Grands Lacs, les noms de ces deux esprits signifient respectivement « esprit

bon » et « esprit mauvais ». Enigorio créa les premiers hommes et pour leur bien-être peupla la terre d'animaux et de plantes. Enigonhahetgea, quant à lui, créa les reptiles pour le malheur des hommes. Il retoucha également le relief de la terre, y ajoutant les montagnes, les cataractes et autres dangers. Puis il essaya à son tour de façonner des hommes dans la glaise. Il commença par échouer mais Enigorio vint à son secours dans sa deuxième tentative, donnant une âme à ses statues d'argile.

•

ENUMCLAW et **KAPOONIS** Ces deux frères, esprits du tonnerre et de la foudre pour les peuples du Nord-Ouest, dont les Chinooks, les Columbias et les Spokans, s'étaient mis en quête d'esprits protecteurs pour être initiés aux secrets des chamans. Kapoonis rencontra un esprit du feu, qui lui apprit à susciter la foudre, et Enumclaw devint sans égal au lancer de pierres. Alors, s'inquiétant de leur pouvoir, le **CIEL-PÈRE** les fit venir dans le monde des esprits, l'un comme esprit du tonnerre, l'autre comme esprit de la foudre.

•

ESTSANATLEHI Déesse du peuple Navajo, dans le Sud-Ouest. Elle est l'épouse de **TSOHANOAÏ**, le dieu du soleil. A sa naissance, elle fut trouvée sur une montagne par le premier homme et la première femme.

Ils la recueillirent et la nourrirent du pollen que leur avait donné Tsohanoaï: elle grandit et devint femme en dix-huit jours seulement. Elle séjourne seule dans une maison flottant sur les eaux, à l'Occident, où son époux vient la retrouver chaque soir. Un jour qu'elle souffrait de cette solitude, elle créa les hommes et les femmes avec de petits morceaux de sa peau. Quand vient l'hiver, elle est frappée de vieillesse puis, à chaque printemps, retrouve sa jeunesse.

•

GA-GAAH Chez les Iroquois, Ga-Gaah est une corneille bienveillante et avisée, qui descendit du royaume du soleil, apportant sur terre une graine de maïs. Le dieu créateur, **HAHGWEHDIYU**, planta cette graine dans la **TERRE-MÈRE**, faisant ainsi aux hommes don du maïs.

•

GITCHE MANITOU Dieu suprême des Algonquins, dans la région des Grands Lacs, et maître de la création. La terre, les hommes, les animaux et les plantes ont été créés selon ses commandements.

•

GLOOSKAP Dieu créateur des peuples de la région des Grands Lacs. Il lutte pour le bien contre son frère jumeau Malsum, qui agit pour le mal et a provoqué la mort de leur mère lorsqu'il naquit de son aisselle. Avec le corps de sa mère, Glooskap a créé

Lorsqu'elle arriva par la mer pour épouser le dieu-ours Kaïti, Dzelarhons était à la tête de six embarcations, chargées d'hommes et de femmes assez nombreux pour fonder un peuple.

Chef sioux portant sa coiffe de plumes guerrière. Selon la tradition, le dieu Ictinike a transmis aux Sioux l'art de la guerre.

la terre puis, ayant décoché des flèches contre les frênes, les hommes sont nés de leur écorce. Il leur a enseigné les arts et la civilisation mais, devant leur ingratitude, Glooskap a abandonné la terre pour partir dans son canoë. Depuis, les hommes attendent en vain son retour.

●

GRAND ESPRIT Dieu suprême de la plupart des peuples amérindiens, également appelé **GITCHE MANITOU**, **MAHEO**, **TIRAWA**, **WAKAN TANKA**.

HAHGWEHDIYU et **HAHGWEHDAETGAH**
Dieux créateurs, chez les Iroquois, et fils jumeaux d'**ATAENSIC**, elle-même fille du ciel. Hahgwehdiyu représente le bien, et son frère le mal. A la mort de leur mère, Hahgwehdiyu, avec le corps de celle-ci, donna à la terre sa fertilité. Son frère lui lança ensuite un défi, et ils se battirent dans une lutte sans merci. Hahgwehdaetgah fut vaincu, et le mal banni dans le monde souterrain.

●

HIAWATHA Chef avisé et héros des Iroquois Onondagas. Selon la tradition, ce sage est le fondateur de la Ligue des cinq nations iroquoises: Mohawks, Oneidas, Onondagas, Cayugas et Senecas. C'est également lui qui enseigna à son peuple l'agriculture, la navigation, la médecine et les arts. *Le Chant de Hiawatha*, poème écrit au XIXe siècle par l'Américain Henry Longfellow, place son héros au cœur de légendes empruntées aux Algonquins, alors qu'il était Iroquois.

●

HISAKITAIMISI Dieu suprême du peuple Creek, dans la région des Grands Lacs. Son nom signifie « Maître du souffle ». Il est également assimilé au dieu du soleil Ibofanga, « Celui qui siège en haut ».

●

ICTINIKE Dieu guerrier, dont le père était le dieu-soleil des Iowas. Inventeur du mensonge, ses aventures sont émaillées de ruses, de tromperies et de traîtrises. Son propre père finit par s'en lasser et le chassa du ciel. Selon la légende, Ictinike enseigna aux Sioux leurs traditions guerrières, ainsi qu'à plusieurs autres peuples des Grandes Plaines.

●

IOSKEHA Esprit protecteur des Hurons, des Mohawks et des Tuscaroras. Son frère

jumeau, Tawiscara, était l'esprit du mal. Les deux frères se battirent, Ioskeha armé de bois de cerf, Tawiscara d'une églantine. Ioskeha l'emporta et son frère fut contraint de limiter ses entreprises maléfiques.

●

IYATIKU Déesse du maïs chez les Pueblos du Sud-Ouest. Elle séjourne dans un monde souterrain appelé **SHIPAP**, où naissent les hommes et où ils retournent après leur mort.

●

KACHINA Nom donné aux esprits des ancêtres par les Pueblos. Ils étaient associés à tous les événements de la vie quotidienne.

●

KUMUSH Dieu créateur du peuple Modoc, au nord de l'actuelle Californie. En compagnie de sa fille, il rendit visite aux esprits du monde souterrain. La nuit, les esprits chantaient et dansaient, mais ils redevenaient des ossements desséchés pendant la journée. Kumush rapporta sur terre un grand panier empli d'os, avec lesquels il créa tous les peuples. Puis il retourna dans sa maison du ciel, où il séjourne avec sa fille.

KWATEE Certains peuples racontent le mythe du rusé dieu créateur Kwatee. Au commencement, le monde était peuplé d'animaux géants — fourmi, araignée, castor, renard... Tandis que Kwatee apprêtait la terre pour les hommes, les géants le défièrent. Il les transforma en animaux ordinaires, puis il se passa les mains sur le corps, pour récolter des petites boules de boue et de sueur avec lesquelles il façonna les premiers hommes.

●

MAHEO Dieu suprême ou **GRAND ESPRIT** du peuple Cheyenne, dans les Grandes Plaines. Au commencement, il n'y avait rien, puis Maheo créa l'océan, les animaux marins et les oiseaux. Après quelque temps, les oiseaux se sentirent fatigués de voler sans cesse,

et ils partirent à la recherche d'un endroit où se poser. Mais ils n'en trouvèrent pas. Un jour, la foulque revint, tenant dans son bec un peu de boue qu'elle porta à Maheo. Le dieu en fit une boule, qu'il roula au creux de sa main. La boule grandit tant et tant que bientôt seule Grand-Mère Tortue fut capable d'en porter le poids sur son dos. C'est ainsi que fut créée la terre.

●

MASAU'U Selon les Hopis, dieu du feu qui avait en charge la garde du Quatrième Monde, le « Monde achevé ».

●

MASEWI et **OYOYEWA** Frères jumeaux et esprits guerriers. Selon la tradition des Pueblos, leur mère les chargea d'assigner au soleil sa place dans le ciel. Puis ils reçurent pour mission de former les clans et les peuples.

●

NANABOZHO Héros rusé, également appelé Nanabush, dans la tradition des

Lors des fêtes organisées par les Pueblos, des danseurs masqués jouaient chacun le rôle d'un esprit, qu'ils appellent kachina.

Selon la mythologie des Amérindiens, les premiers hommes seraient sortis des profondeurs de la terre.

La première femme demanda un jour à Napi si ceux qui appartenaient à la race humaine avaient pour destin d'être éternels. Le dieu prit un morceau de bois et déclara que si le bois flottait, la mort ne dépasserait pas quatre jours. Il le jeta dans une rivière et le bois flotta. La femme ramassa une pierre et dit : « Si la pierre flotte, nous serons éternels ; si elle coule, nous mourrons. » La pierre coula. C'est ainsi que les hommes devinrent mortels.

Algonquins, peuples du Nord-Est. Il vivait en compagnie de son frère cadet, jusqu'au jour où celui-ci fut noyé par des esprits jaloux. Dans un accès de fureur, Nanabozho s'attaqua aux meurtriers de son frère et n'eut de cesse qu'ils ne lui révèlent les secrets d'une cérémonie sacrée, appelée Mide. La puissance de cette cérémonie était telle que son frère ressuscita d'entre les morts et fut nommé chef du monde souterrain.

●

NAPI Dieu créateur dont le nom signifie « vieil homme », chez les Blackfeet, peuple des Grandes Plaines. Lorsqu'il eut façonné le monde, le premier homme et la première femme dans la glaise, Napi se retira dans les montagnes, promettant de revenir un jour. Depuis lors, **NATOS**, dieu du soleil, a pris sa place. Selon d'autres récits, Napi est un être rusé et fourbe, capable de jouer de malice, voire de la pire malveillance envers les hommes.

●

NATOS Dieu du soleil et être suprême chez les Blackfeet. Il a pour épouse Kokomikeis, déesse de la lune. Ils avaient les étoiles pour enfants, mais un jour les pélicans les exterminèrent, à l'exception d'Apisuahts, l'étoile du matin.

NAYENEZGANI et **TOBADZISTSINI** Dieux de la guerre, dans la tradition navajo, tous deux fils de **TSOHANOAÏ** et d'**ESTSANATLEHI**. Les deux frères parcourent le monde afin de protéger les hommes des maux qui les menacent. Ils ont reçu de leur père Tsohanoaï des armes d'une grande puissance, notamment un arc pour lancer des flèches éclair, des flèches rayon-de-soleil, des flèches arc-en-ciel. Ils s'en servent pour vaincre Yeitso, le monstre couvert d'écailles, Teelget, bête féroce armée de bois de cerf, et les Tsenahale, de gigantesques aigles aux serres redoutables.

●

OISEAU TONNERRE Esprit du tonnerre, que l'on retrouve chez tous les peuples d'Amérique du Nord. Il apparaît tel un aigle géant dont les yeux lancent des éclairs et dont les battements d'ailes provoquent le tonnerre. Sa puissance est redoutable, et il ne cesse de lutter contre le mal. Chez les Lakotas, il est au service du **CIEL-PÈRE**. Pour les peuples du Nord-Ouest, il est le principal dieu du ciel et se nourrit de baleines. Pour les Iroquois, il revêt forme humaine et porte le nom de Hino, l'esprit du tonnerre. Les peuples de l'Ouest croient quant à eux en quatre Oiseaux Tonnerre, un pour chacune des quatre parties du monde.

●

POSHAIYANGKYO Chef d'une grande sagesse, fondateur des Zunis, l'un des peuples pueblos, dans le Sud-Ouest. Il fut le premier à trouver le passage du ventre de la **TERRE-MÈRE** à la lumière du jour. Il adressa ses prières à **AWONAWILONA** pour qu'il aide ceux qui étaient restés dans la matrice terrestre à se libérer. Le dieu envoya **MASEWI** et **OYOYEWA** pour leur montrer la voie.

●

SHIPAP Nom donné à la grande matrice de la terre par les Pueblos.

●

SIPAPU Désigne les entrailles de la terre, dans la tradition des Hopis, peuple du Sud-Ouest. Les ancêtres des Hopis durent traverser les trois mondes souterrains de Sipapu avant d'atteindre le Quatrième Monde où vivent désormais les hommes. Le Premier Monde était pur, mais les hommes le corrompirent par la guerre et il finit ravagé

par le feu. Toujours à cause de la corruption, le Second fut détruit par la glace et le Troisième par le déluge. Deux frères, **MASEWI** et **OYOYEWA** montrèrent alors aux hommes la voie du Quatrième Monde.

•

TERRE-MÈRE Créatrice universelle, connue sous différents noms selon les peuples. Elle est la grande matrice de la terre **(SHIPAP)**, dont sortent les hommes, qu'ils soient guidés par la Mère des moissons, la Femme-Araignée, deux frères jumeaux ou encore par un héros (voir **ATAENSIC**, **AWONAWILONA**, **IYATIKU**, **MASEWI** et **OYOYEWA**).

•

TIRAWA Dieu suprême des Pawnees, peuple des Grandes Plaines. On l'appelle également Atius Tirawa, ou « voûte du ciel » : c'est lui qui a assigné au soleil, à la lune et aux étoiles leur trajectoire dans le ciel, donnant à chacun des astres un peu de son pouvoir.

Tirawa a ensuite ordonné au soleil et à la lune de se marier, et leur fils fut le premier homme. L'étoile du matin et celle du soir se sont également mariées sur son ordre, et ont donné naissance à la première femme.

•

TONENILI Chez les Navajos, dieu de la pluie dont le nom signifie l'« Arroseur ». On le représente tenant un pot rempli d'eau. Tonenili aime jouer aux hommes des tours à sa façon, mais jamais dans l'intention de leur nuire. Avec l'aide du dieu du feu, Hastsezini, il a sauvé le premier Navajo de l'emprise de Ticholtsodi, le monstre des eaux.

•

TSOHANOAÏ Dieu du soleil, chez les Navajos, et époux d'**ESTSANATLEHI**. Il porte le soleil sur son dos et, la nuit, le suspend au mur occidental de sa maison céleste. Il a fait don d'armes magiques à ses fils **NAYENEZGANI** et **TOBADZISTSINI**, pour qu'ils luttent contre

Le dieu Tirawa décide de la place qu'occuperont dans le ciel le soleil, la lune et les étoiles.

les divinités monstrueuses et maléfiques qui dévoraient les hommes.

•

WAKAN TANKA GRAND ESPRIT et dieu créateur des Lakotas, peuple des Grandes Plaines. Il est le « Grand Mystère », dont l'esprit habitait Inyan (le « Rocher »), le premier dieu. Au commencement, il n'y avait rien, à l'exception de Han, les ténèbres. De son propre sang, Inyan a créé la déesse Maka (la terre) et les eaux bleues, desquelles est né le dieu Skan (le ciel). Skan a donné la lumière au monde en façonnant le dieu Wi (le soleil). Inyan, Maka, Skan et Wi ont alors proclamé Wakan Tanka dieu suprême.

•

WAKONDA C'est le « Grand Mystère » ou « Pouvoir d'En Haut » chez les Sioux, peuple des Grandes Plaines. Source de toute force et de toute sagesse, Wakonda éclaire les saints hommes et les guérisseurs.

•

WISAKEDJAK L'un des noms donnés au dieu civilisateur et rusé, par les peuples de la région des Grands Lacs. Les Anglais avaient déformé son nom en « Whisky Jack »...

WISHPOOSH Castor monstrueux qui perturbait la pêche des Nez-Percés des plaines et des plateaux du Nord. Ceux-ci s'adressèrent à **COYOTE**, qui frappa le castor d'une énorme lance. Mais Wishpoosh s'échappa, entraînant Coyote, fermement accroché à sa lance. Coyote se transforma en branche de sapin, que le castor avala. Coyote reprit alors sa forme première et poignarda le castor en plein cœur. Coyote créa les peuples du Nord-Ouest avec le corps de Wishpoosh.

•

WONOMI CIEL-PÈRE et dieu suprême des Maïdus, peuple de l'actuelle Californie. Il est l'auteur du monde et des éléments, et créateur des hommes. Son vieux rival **COYOTE**, l'ayant défié, l'a emporté par la ruse. Tandis que Coyote règne sur la terre, Wonomi continue à veiller sur les hommes, qui peuvent toujours, après leur mort, le rejoindre dans son royaume au-dessus des nuages.

•

YANAULUHA Grand magicien et héros civilisateur des Zunis, peuple du Sud-Ouest. Lorsque les premiers hommes sortirent

GÉNIES ET ANIMAUX

Dans les mythes amérindiens, les animaux sont abondamment représentés : Grand Lièvre et Grand Lapin, Raton laveur des peuples du Nord ; **COYOTE** (que l'on voit ici entraîné vers la mer par **WISHPOOSH**), dans les mythologies des peuples de l'Ouest et des Grandes Plaines ; **CORBEAU**, Geai ou Vison des peuples du Nord-Ouest.

Par ailleurs, les héros et les êtres surnaturels, par ruse et par intelligence, font bénéficier les peuples de leurs bienfaits. Mais beaucoup d'entre eux ne font pas de différence entre le bien et le mal. S'ils provoquent des catastrophes, c'est souvent par maladresse ou par négligence, plus que par volonté délibérée de nuire. Le fourbe, lui, agit par malice et par goût du désordre et de la destruction, mais ses ruses sont souvent inoffensives. Sous sa forme la plus virulente, il s'emploie à instaurer le malheur et le chaos.

à la lumière du jour, après un long séjour au sein de **SIPAPU**, ils n'avaient pas encore tout à fait forme humaine : un corps tout couvert d'écailles noires, des yeux de hibou, de grandes oreilles, une longue queue et des pieds palmés. Yanauluha apporta de l'eau, des semences, ainsi qu'un bâton qui avait le pouvoir de donner la vie. Il apprit aux hommes à cultiver les plantes et leur enseigna les lois de la civilisation.

•

YADILYIL Dans la tradition des Navajos, c'est l'« Obscurité d'En Haut ». Avec Naestan, la « Femme horizontale », Yadilyil fit naître la déesse **ESTSANATLEHI** d'un nuage noir qui couvrait le sommet d'une montagne.

•

YEÏ Les Navajos nomment ainsi les divinités qui jouèrent un rôle important dans la création du monde. Elles sont parfois symbolisées par des masques utilisés lors des rites de guérison. Le plus grand des Yeï est le « Dieu qui parle ». Il s'est un jour uni

à une jeune fille navajo, qui mit au monde des jumeaux. Mais les deux frères furent écrasés par un énorme rocher : l'un en perdit la vue, l'autre demeura boiteux. Devenus un fardeau pour leur famille, ils en furent bientôt chassés. Ils implorèrent alors les Yeï, qui offrirent une cérémonie rituelle en vue de leur guérison. Guéris, les deux frères retournèrent auprès de leur peuple, à qui ils enseignèrent à leur tour les rites de guérison. Puis ils repartirent et devinrent les esprits protecteurs de l'orage et des animaux.

•

YOLKAI ESTAN Dans la tradition des Navajos, c'est la déesse de la mer, que l'on surnomme « Coquillage blanc ». Elle est également sœur d'**ESTSANATLEHI**.

Les premiers hommes étaient sortis de terre tout noirs et couverts d'écailles. Yanauluha leur enseigna l'art de cultiver les plantes et leur apprit à vivre à la lumière du jour.

LES CELTES ET LES SLAVES

On distingue trois grandes familles chez les peuples
de l'Europe du Nord : celte, slave et scandinave.
A chacune correspond une mythologie distincte,
même si les divinités celtiques et scandinaves
possèdent de nombreux traits en commun.
En effet, les historiens pensent que les trois puisent
à la même source, qui se trouverait en Asie occidentale.
Les Celtes sont un peuple très ancien, dont les racines
se situent en Europe centrale, et qui a peu à peu gagné
presque toute l'Europe : France, Portugal, Espagne,
îles Britanniques vers l'ouest, tandis que certains se déplaçaient
jusqu'en Turquie, vers l'est.
Les peuples celtes se rejoignent dans une communauté
linguistique : tous parlent des langues apparentées.
Mais à aucun moment ils n'ont formé une nation unique,
réunie sous l'autorité d'un même souverain.
Les dieux qu'ils vénéraient pouvaient également
différer d'un peuple à l'autre.
Du début du IIIe siècle av. J.-C. à la fin
du Ier siècle de notre ère, l'Empire
romain a étendu ses conquêtes à la

Les lois, les rites religieux et
les mythes celtes étaient confiés
à la mémoire des druides (prêtres)
et des bardes (conteurs et musiciens).
Ici, un barde conte des aventures
héroïques en s'accompagnant
de son instrument.

LE CHAUDRON MAGIQUE

Dans la mythologie celtique,
le chaudron est symbole
d'abondance, de fertilité,
de régénération. Celui de
Gundestrup (détail ci-contre),
découvert au Danemark, date
du Ier ou IIe siècle av. J.-C.
On y voit le dieu Cernunnos
entouré de bêtes sauvages
et d'animaux fabuleux.

plus grande partie de l'Europe.
Les seuls peuples celtes qui
conservèrent leur culture furent
ceux des îles Britanniques et
les Gaulois du nord de la France.

LES DIEUX CELTES

Les Celtes ne possédaient pas
de tradition écrite. Il est par
conséquent difficile de connaître
leurs dieux. Les écrits laissés
par les Romains sont notre
principale source.
En raison de similitudes avec les
dieux romains, certains dieux
celtes ont été « romanisés » par
les conquérants. C'est ainsi que
Jules César évoque « Lugus »
comme étant le plus grand des
dieux celtes. Il s'agit en fait de
LUG, dieu irlandais de l'artisanat,
que César compare au dieu
romain Mercure, protecteur
de l'artisanat et du commerce.
Toutefois, la plupart des dieux
celtes semblent avoir été
des divinités locales. On peut
citer **DAGDA**, appelé aussi
le « dieu bienveillant » ou encore
le « puissant à l'immense
connaissance », **CERNUNNOS**,

« le cornu », **DONAR**, le dieu
du tonnerre, et **WOTAN**, le dieu
des morts. Si aucun des mythes
celtiques du continent européen
ne nous est parvenu intact,
beaucoup de mythes irlandais
ou gallois ont en revanche
été transcrits entre les VIIIe
et XIVe siècles, et sont donc

conservés sous forme manuscrite.
Composés de onze livres
et rédigés au XIXe siècle,
les *Mabinogion* sont un important
recueil de récits tirés de la
mythologic galloise. Les quatre
premiers livres sont consacrés
à la fondation mythique
de la future Grande-Bretagne.

Cette scène s'inspire d'un
épisode des *Mabinogion*,
recueil de récits mythiques gallois.
Un géant apporte un chaudron
magique au roi Matholowch.

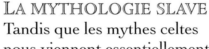

L'AUTRE MONDE

Les Celtes croyaient
en un au-delà, situé à l'ouest,
où se rendaient les morts
et dans lequel on pénétrait
par des grottes et des lacs.
Pour parvenir dans cet
Autre Monde et connaître
le bonheur éternel, les morts
devaient accomplir un voyage
semé de dangers.

IRLANDAIS ET GALLOIS

L'essentiel de la mythologie
irlandaise se regroupe en quatre
« cycles », ou des ensembles
de récits reliés entre
eux. Le premier cycle
raconte les luttes qui
opposent cinq races
surnaturelles (parmi
lesquelles les **TUATHA
DÉ DANANN**), qui rivalisaient
pour gouverner l'Irlande.
Le second évoque les aventures
de **COUHOULINN**, opposé
à la cruelle souveraine **MÈVE**.
Les aventures des rois légendaires
constituent le troisième cycle.
Enfin, le héros **FINN MAC COOL**
et ses vaillants guerriers figurent
au centre du quatrième.
Les récits gallois, quant à eux,
présentent des héros qui
entreprennent de longs voyages.
Les plus célèbres sont les
chevaliers de la Table ronde,
réunis à la cour du roi **ARTHUR**.
Leurs exploits s'ordonnent autour
de la quête du Saint-Graal, la
coupe tenue par Jésus lors de la
Cène. Elle aurait été rapportée
en Angleterre et perdue, jusqu'à
ce que le chevalier **GALAAD** la
retrouve enfin. On dit que le roi

Arthur fut emporté par les fées
à Avalon et se tient prêt à revenir
en cas de péril. Cette légende fut
notamment reprise au XIIe siècle
par le poète Chrétien de Troyes
(*Lancelot ou le Chevalier
à la charrette, Perceval
ou le Conte du Graal*).

LA MYTHOLOGIE SLAVE

Tandis que les mythes celtes
nous viennent essentiellement
d'Europe occidentale, ceux
d'Europe centrale et orientale
constituent une tradition slave
bien distincte.
Les peuples slaves, de la Russie
à la Macédoine, sont nombreux ;
chacun possède une langue et
une tradition originales. Toutefois,
les mythes sont souvent
semblables d'un peuple à l'autre.
Comme l'usage de l'écriture
correspond à l'arrivée du
christianisme (IXe-Xe siècles),
on ne possède pas de trace
écrite des premiers
mythes slaves.
La conversion
au christianisme
a de surcroît entraîné

Le roi Arthur possédait une épée
enchantée, Excalibur,
qu'il avait reçue de la fée Viviane.
Mortellement blessé lors d'un
combat, il confia son épée à l'un
de ses chevaliers, Girflet, le priant
de la jeter dans le lac. Le chevalier
ne put d'abord s'y résoudre,
puis il finit par s'exécuter. Un bras
sortit alors des eaux pour saisir
Excalibur et la brandit trois fois
avant de disparaître avec elle.

la disgrâce des anciens dieux, aussi savons-nous peu de choses sur ces divinités.

Bon nombre d'entre elles sont toutefois associées aux éléments ou aux phénomènes naturels. **SVAROZHICH**, par exemple, est le dieu du feu, tandis que son frère Dazhbog est celui du soleil. **PERUNU** est, quant à lui, le dieu de la foudre et du tonnerre. On pense en outre que les chamans, ces prêtres magiciens qui communiquent avec les esprits par l'extase ou la transe, jouaient un rôle de médiateurs avec l'Autre Monde.

Selon certains récits, le monde des esprits se trouve par-delà d'épaisses forêts, de l'autre côté d'une rivière de feu. D'autres le situent au-dessus, au-dessous voire au-delà des mers et des terres.

Les Slaves considéraient par ailleurs la terre comme une île flottant à la surface d'un immense océan. Ils imaginaient un Arbre du Monde reliant les différents royaumes, enraciné dans le séjour des morts et dont les branches atteignaient les cieux.

LE « DIEU BLANC »

Le dieu slave Byelobog représente la vie, la lumière, le bien. Il est garant de la prospérité, de la fertilité et de l'abondance des récoltes. A l'opposé, Chernobog, le « dieu noir », incarne la mort, l'obscurité, le mal.

Le domovoï est un esprit du foyer qui demeure près de la cheminée ou du fourneau. En général invisible, on le décrit comme un petit homme très velu. Il manifeste parfois son mécontentement en cassant la vaisselle et en faisant peur aux animaux si on oublie de lui laisser, la nuit, l'un de ses mets favoris.

La lumière livrait un combat permanent contre les forces destructrices des ténèbres. On demandait souvent protection aux forces bienveillantes contre les puissances du mal. Lors de la conversion au christianisme, les forces du bien furent associées à l'Église. Chaque foyer étant protégé par les ancêtres, les Slaves célébraient des rites complexes pour honorer leurs morts. Plusieurs fois par an, à date fixe, on organisait des festivités autour des tombes, et on laissait des reliefs de festin pour que les esprits des morts pussent festoyer à leur tour.

D'innombrables esprits se trouvaient au cœur des croyances et des pratiques : les esprits bienveillants du foyer, d'abord, appelés **DOMOVOÏ** et souvent pourvus d'une barbe grise, puis ceux de la ferme et de ses diverses dépendances, les *dvorovoï* et les *ovinnik*, auxquels s'ajoutaient les âmes des enfants morts. Enfin, les esprits malveillants avaient pour rôle de porter malheur, ou tout simplement de jouer de mauvais tours. Parmi eux figuraient des êtres malfaisants : **VAMPIRES** et **LOUPS-GAROUS** et, chez les Slaves de l'Est, les redoutables esprits de la forêt, les *leshii*.

La sorcière Baba Iaga demeure au plus profond de la forêt, dans une cabane perchée sur des pattes de poulet et entourée d'une clôture faite d'ossements.
Selon certains récits, elle garde les portes de l'Autre Monde.

ARTHUR Roi légendaire des peuples celtes, résistant contre les envahisseurs anglo-saxons à la fin du Ve et au début du VIe siècle. Elevé par l'enchanteur **MERLIN**, il apporta la preuve de sa légitimité en se montrant, seul parmi tous, capable d'arracher une mystérieuse épée enfoncée dans un roc. Devenu roi, Arthur reçut Excalibur, l'épée enchantée, des mains de la fée Viviane. Il réunit autour de lui des chevaliers, parmi lesquels Lancelot, Gauvain et **GALAAD**. Tous, au fil d'innombrables aventures, servirent la cause de la justice. Une rébellion, menée par Mordred, son neveu jaloux, aboutit à une terrible bataille au cours de laquelle tous les chevaliers furent tués et Arthur mortellement blessé. Trois fées le conduisirent à Avalon dans un bateau ; c'est là qu'il repose depuis.

●

BABA IAGA Dans la tradition slave, cette sorcière possède d'immenses pouvoirs. Elle se fait obéir des animaux et des oiseaux, de jour comme de nuit. Elle est hideuse, et d'une maigreur telle que l'on dirait un squelette aux dents acérées. Elle se déplace dans un mortier, se servant d'un pilon pour le faire avancer ; puis, elle efface derrière elle ses traces avec un balai.

●

BEOWULF Héros anglo-saxon doté d'une force incommensurable, originaire du pays des Geats, dans le sud de la Suède. Il partit au Danemark aider le roi Hrothgar à débarrasser son royaume de Grendel, un monstre mangeur d'hommes. Beowulf anéantit le monstre en le broyant entre ses bras. De retour chez lui, il régna sur le pays des Geats pendant cinquante ans, au bout desquels son royaume fut assailli par un dragon au souffle de feu. Bien qu'âgé, Beowulf réussit à vaincre le dragon avec l'aide du jeune chef Wiglaf, mais il fut mortellement blessé.

●

BRAN Ce roi celte est également connu sous le nom de Bran le Bienheureux. D'une taille gigantesque, il fut grièvement blessé au cours d'une bataille. Il ordonna alors à ses hommes de lui couper la tête et de l'enterrer au Tertre blanc, où fut par la suite édifiée la Tour de Londres. De là, il protégerait la Grande-Bretagne de tout envahisseur.
Selon une légende irlandaise, Bran partit à bord d'un navire, en compagnie de vingt-six guerriers, vers une contrée enchantée, l'Autre Monde. Lorsqu'ils revinrent en Irlande, les compagnons étaient persuadés que leurs aventures avaient à peine duré un an, alors que plusieurs siècles s'étaient écoulés...

●

BRIGID Déesse celte de la poésie et de la magie. Fille de **DAGDA**, elle avait deux sœurs, également prénommées Brigid. L'une était déesse de la médecine, l'autre du travail des métaux.

●

CERNUNNOS Ce dieu « cornu », dans la mythologie celte, portait des bois de cerf. Seigneur de tous les animaux, dieu de la fertilité, il est associé au retour du printemps et à l'abondance des récoltes.

●

COUHOULINN Héros irlandais, également appelé le « Chien du Forgeron », fils de **LUG**, dieu du soleil. Il défendit l'Ulster contre les armées de **MÈVE**, reine du Connaught, qui cherchait à s'emparer du Taureau brun de Cooley. Une vieille malédiction ayant

frappé de maladie les guerriers de l'Ulster, seuls Couhoulinn et son père échappèrent au mal. A eux deux, ils combattirent avec succès les armées du Connaught. Couhoulinn succomba quelques années plus tard, frappé par une lance enchantée, œuvre des enfants du guerrier Calatin qu'il avait lui-même tué au combat.

•

DAGDA Très ancienne divinité celte, dieu de la vie et de la mort, surnommé le « Dieu Bienfaiteur », et l'un des premiers chefs des **TUATHA DÉ DANANN**. Versé dans l'art de la magie, il agit sur le climat et les récoltes. Il possède une sagesse infinie.

•

DANANN Mère des dieux irlandais, vénérée particulièrement par les **TUATHA DÉ DANANN**, premier peuple à avoir conquis l'Irlande. Danann est la déesse celte de la prospérité et de l'abondance.

•

DIAN CECHT Guérisseur divin, dans la tradition irlandaise. Il chante des formules rituelles au-dessus d'un puits. Il suffit alors de plonger dans les eaux de ce puits les guerriers tués ou mortellement blessés pour qu'ils reviennent à la vie.

DOMOVOÏ Esprits du foyer, dans la tradition slave. On a rarement l'occasion de les voir, car ils sont actifs surtout la nuit. On les décrit comme des vieillards couverts de poils hirsutes. Les Slaves témoignent à leur égard du plus grand respect et leur laissent en offrande la nourriture et les boissons les plus raffinées. Être touché par la main velue d'un domovoï porte bonheur, mais si la main est froide et dure, c'est un présage de malheur ou de mort. Quand une famille déménage, elle veille, par des rites appropriés, à ce que le domovoï en fasse autant.

•

DONAR Dieu du tonnerre, dans toute l'Europe septentrionale. Comme le dieu slave **PERUNU**, il est associé aux grandes forêts de chênes et il porte une hache, symbole de la foudre. Equivalent du dieu scandinave Thor, il est aussi appelé Thunor par les Anglo-Saxons.

•

DRUIDES Prêtres celtes chargés de la connaissance et de sa transmission. Le dieu bienfaiteur **DAGDA** protégeait les druides, qui se réunissaient dans des bois de chênes sacrés, où ils cueillaient le gui utilisé lors des cérémonies.

Pendant quatre jours, Couhoulinn se battit en combat singulier contre son frère de lait, Ferdiad, sous le regard de la reine Mève, juchée sur son cheval. Ferdiad était le meilleur des guerriers choisis par Mève pour livrer bataille à Couhoulinn, dans la guerre qu'elle menait pour s'emparer du Taureau brun de Cooley.

À sa naissance, Finn Mac Cool se nommait Demné. Plus tard, le jour où il se brûla le pouce en faisant cuire le Saumon de la Connaissance, son maître, Finn le poète, lui donna son propre nom. De ce jour, dès que Finn Mac Cool mit son pouce à la bouche puis chanta quelques paroles secrètes, tout ce qu'il avait besoin de savoir lui apparut à l'esprit.

FINN MAC COOL Chef légendaire d'une troupe irlandaise de héros guerriers appelée Fianna. Ils écumaient le pays, chassant par-ci, courtisant les belles par-là, combattant l'ennemi et les injustices en tout lieu. Petit garçon, Finn fut éduqué par un poète qui attendait depuis sept ans la venue du Saumon de la Connaissance. Lorsqu'il eut attrapé le poisson tant attendu, Finn le poète demanda à son protégé de le cuire mais de n'en rien manger, car il désirait garder la connaissance pour lui tout seul. Le jeune garçon s'exécuta et, pendant que le poisson cuisait, il se brûla le pouce. Pour soulager la douleur, il le mit dans sa bouche. Alors, le poète comprit qu'il appartenait au garçon, et non à lui, de manger le poisson. C'est ainsi que, devenu Finn Mac Cool, il eut accès à toute connaissance. Selon la légende, Finn n'est pas mort : il dort dans une caverne, prêt à revenir si l'Irlande devait courir un grand danger.

GALAAD Fils de Lancelot et chevalier le plus noble de la cour du roi **ARTHUR**.

Autour de la Table ronde, l'un des sièges demeurait inoccupé : c'était le Siège périlleux, réservé au chevalier destiné à réussir dans la quête du Saint-Graal, la coupe utilisée par le Christ lors de la dernière Cène. Le sol s'ouvrirait et engloutirait celui qui, trop peu valeureux, oserait s'asseoir sur le siège. Seul Galaad y parvint sans le payer de sa vie, et lui seul réussit dans la quête du Graal.

GOIBHNIU, LUCHTA et **CREIDHNE** Dans la tradition irlandaise, ces trois dieux-artisans forgeaient et façonnaient les armes des **TUATHA DÉ DANANN**. Goibhniu est l'hôte du festin de l'Autre Monde, où il dispense un breuvage donnant l'immortalité.

KIKIMORA Esprits féminins du foyer, dans la tradition russe. Tout comme les **DOMOVOÏ**, on a rarement l'occasion de les voir, mais on les dit de petite taille, couvertes d'une longue chevelure. Dans certains récits, les domovoï sont leurs époux.

LIR (ou **LER**) Dieu de la mer, dans la tradition celtique, et l'un des **TUATHA DÉ DANANN**. Ses quatre enfants furent transformés en cygnes par Aoïfe, leur marâtre jalouse. Lir essaya de leur redonner leur forme première, mais l'enchantement de la marâtre se révéla plus puissant. Il fallut neuf cents ans pour que le charme cessât et les quatre enfants étaient alors devenus quatre vieillards tout desséchés.

LOUPS-GAROUS (voir **VAMPIRES**)

LUG Dieu celte du soleil, père de **COUHOULINN**, Lug est aussi le patron des artisans. Guerrier sans égal à la lance et à la fronde, il donna la victoire aux **TUATHA DÉ DANANN** contre leurs ennemis les Formorii. Proclamé roi, Lug laissa la vie sauve au chef des Formorii qui, en remerciement, enseigna aux Tuathas les secrets de l'agriculture.

MABINOGI Famille légendaire, dans la tradition galloise, dont l'arbre généalogique comportait quatre branches principales. L'histoire de chacune de ces branches figure dans un recueil épique, les *Mabinogion*.

Les récits les plus célèbres de ce recueil sont les aventures de **BRAN** et celles de Don (équivalent gallois de **DANANN**).

•

MAKOSH Déesse de la fertilité, dans la tradition des Slaves de l'Est. Elle est associée à l'eau qui féconde et à l'abondance des récoltes.

•

MÈVE Reine légendaire du Connaught, à l'ouest de l'Irlande. Selon la tradition, elle fut l'épouse de neuf rois. Seul son époux du moment pouvait monter sur le trône. L'un d'eux possédait le grand Taureau aux cornes blanches, ce dont la reine était profondément jalouse. Elle décida alors de s'emparer du Taureau brun de Cooley et envoya une armée en Ulster. Mais les guerriers de Mève furent vaincus par **COUHOULINN**. Pour se venger, la reine enseigna la magie noire aux orphelins de l'un des hommes tués à la bataille. Ils façonnèrent trois lances enchantées, dont l'une devait abattre Couhoulinn quelques années plus tard.

•

MERLIN Dans une légende galloise, ce personnage se nomme Myrddin et a le don de lire l'avenir. Terrifié par le fracas et l'horreur des batailles, il a choisi de s'enfuir dans une forêt et d'y vivre en sauvage. Merlin est surtout connu pour son rôle de magicien, de sage et d'enchanteur dans la légende du roi **ARTHUR**. C'est lui qui présenta Igraine à Uther Pendragon et de leur union naquit Arthur. Merlin éleva le jeune garçon et l'éduqua pour qu'il devînt roi. Il lui servit maintes fois de messager, car il avait le pouvoir de revêtir toute forme à sa convenance.

L'enchanteur eut un jour la faiblesse de révéler ses secrets de magicien à la fée Viviane, qui s'en servit pour le retenir éternellement prisonnier dans les branches d'une aubépine.

•

NEHELENNIA Déesse de la fertilité, dans la tradition germanique, adorée par les peuples des côtes de Hollande.

•

NERTHUS Les peuples du Danemark vénéraient jadis cette déesse de la fertilité. Ils plaçaient une statue ou un portrait de la déesse sur un chariot, qu'ils menaient par toute la campagne pour que les récoltes fussent abondantes.

Selon la légende, la Table ronde autour de laquelle prenaient place les chevaliers du roi Arthur était une création de l'enchanteur Merlin. Grâce à sa forme circulaire, aucun des chevaliers attablés ne devait se sentir supérieur ou inférieur aux autres.

On raconte que Perunu traversait le ciel sur son char de feu tiré par un bouc.

NUADA AIRGETLAM Roi des **TUATHA DÉ DANANN**, son nom signifie « Nuada à la main d'argent ». Dans la mythologie anglaise, on le nomme Ludd, et chez les Gallois Nudd. Lors de la grande bataille qui opposa victorieusement les Tuathas aux Fir Bholg, les premiers habitants de l'Irlande, Nuada perdit un bras. Comme un estropié ne pouvait régner, il abdiqua en faveur de Bres. Les Tuathas, méprisant leur nouveau roi, façonnèrent un bras d'argent pour Nuada, afin qu'il puisse revenir sur le trône. Bres le cruel s'enfuit et leva une armée contre Nuada. Ce dernier, avec l'aide de **LUG**, mena de nouveau les Tuathas vers une glorieuse victoire.

PERUNU Chez les Slaves, dieu du tonnerre et de la foudre. On lui rendait un culte pour faire venir la pluie en dansant en cercle autour d'une jeune vierge, qui évoluait uniquement vêtue de fleurs. Le parfum des fleurs et leurs suaves essences devaient persuader le dieu de faire tomber la pluie.

ROD Dieu de la fertilité et de la création chez les Slaves de l'Est, il était au centre d'un culte, aux côtés des Rozhanicy, déesses (mère et fille) de la fécondité. Il est également associé à **SVANTOVIT**, le dieu à quatre têtes.

RUSALKA Esprits des eaux, dans la tradition slave. Ces esprits étaient à l'origine les âmes de jeunes filles mortes par noyade. Comme les sirènes de la mythologie grecque, elles attiraient les hommes par leurs chants. Chez les Slaves du Sud, les Vila, esprits similaires, sont les âmes des filles mortes avant le baptême ou le mariage.

SAULE Chez les peuples baltes, déesse du soleil qui traverse les airs sur un char brûlant aux roues de cuivre, tiré par d'infatigables chevaux de feu. Le soleil est décrit comme une jarre, ou une louche, versant de l'or liquide, sa lumière. Les *zaltys*, serpents verts symbolisant la fertilité, sont les reptiles sacrés de la déesse. Lorsque l'un d'entre eux meurt, elle verse des larmes, les baies rouges que l'on voit sur les collines.

SVANTOVIT Dieu slave de la guerre, surtout vénéré par les Baltes. Il possède quatre têtes, symboles de son immense pouvoir, et tient à la main une coupe en corne de taureau. Chaque année, on remplissait sa coupe de vin, dont on vérifiait ensuite le niveau pour prédire quelle serait la qualité des récoltes. Plus la corne était pleine, meilleures elles seraient. Dans chacun de ses temples, un cheval blanc devait annoncer les guerres. Les Slaves de l'Est l'associèrent au dieu **ROD**.

SVAROG Dieu suprême, chez les Slaves. Ses deux fils sont Dazhbog, dieu du soleil, et **SVAROZHICH**, dieu du feu.

SVAROZHICH Dieu slave du feu, et plus particulièrement du feu destiné à sécher les récoltes après la moisson, il possédait également le don de prophétie. On lui offrait des sacrifices humains.

TIWAZ Dieu du ciel, dans la tradition des peuples germaniques qui le surnommaient « Dieu qui règne sur toutes choses ». Il est également dieu de la guerre ; ses enchantements ont le pouvoir de tenir les hommes en captivité ou de leur rendre la liberté.

TUATHA DÉ DANANN Dieux et hommes descendant de la déesse celte **DANANN**. Les Tuathas furent bannis du ciel, car ils avaient appris les secrets de la magie. Ils décidèrent alors de s'établir en Irlande. Deux batailles décisives leur permirent d'expulser les Fir Bholg, qui habitaient avant eux le pays, puis d'anéantir leurs ennemis, les Formorii. Les Tuathas régnèrent sur l'Irlande jusqu'au jour où ils furent à leur tour vaincus par les Fils de Mil et chassés dans les montagnes. Leurs rois les plus célèbres sont **LUG** et **NUADA AIRGETLAM**.

●

VAMPIRES Avec les loups-garous, ce sont des êtres malfaisants que l'on rencontre surtout dans les traditions d'Europe centrale et orientale. Les loups-garous portent une marque de naissance rouge ou en forme de sabre, ou bien naissent avec des touffes de poils de loup. On leur attribue des pouvoirs surnaturels qui leur permettent de lire l'avenir et de se transformer en loups. Les vampires, quant à eux, sont des morts sans foi ni dieu. Ils demeurent dans leurs cercueils et en sortent la nuit pour boire le sang des humains endormis, souvent des membres de leur propre famille.

WAYLAND Roi des elfes, dans la mythologie germanique et anglo-saxonne, et orfèvre renommé pour son habileté sans égale. Capturé par Nidud, cruel roi des Suédois, ce dernier l'estropia et le contraignit à travailler pour lui. Wayland se vengea en tuant les fils de Nidud. De leurs crânes il fit des coupes incrustées d'argent, de leurs yeux et de leurs dents des bijoux. Ayant informé le roi de son forfait, il s'enfuit avec des ailes qu'il s'était fabriquées avec des plumes de cygne.

●

WOTAN Dieu des morts, de la poésie et de la guerre. Il apporte la victoire au combat, mais il est aussi capable de condamner ceux qui le vénèrent à la défaite et à la mort. On représente généralement ce sinistre personnage comme un guerrier à cheval, ou encore sous la forme d'un loup ou d'un corbeau, animaux qui nettoient les champs de bataille... Les Anglo-Saxons le nomment Woden et les Scandinaves Odin.

●

YARILO Dieu slave de la fertilité et de l'amour. On le représente vêtu de blanc et couronné de fleurs sauvages, tenant dans ses bras une gerbe de blé.

Wayland s'enfuit à tire-d'aile, après avoir révélé au roi Nidud, qui le retenait prisonnier, qu'il avait tué ses fils et fabriqué des coupes avec leurs crânes.

LES SCANDINAVES

Du IIIe au VIe siècle de notre ère, les peuples de l'Europe centrale et septentrionale, en quête de terres nouvelles, atteignirent le sud de la Suède et de la Norvège. A partir du VIIIe siècle, ces nouveaux « hommes du Nord » se lancèrent dans des expéditions en direction de l'ouest et de l'est. Les célèbres Vikings, aventuriers, guerriers, navigateurs et marchands, poursuivirent leurs incursions jusqu'au début du XIe siècle. Ils s'établirent ponctuellement dans les îles Britanniques, en Islande, au Groenland et, vers l'est, jusqu'en Russie. Dans un premier temps, traditions et mythologies des nouveaux venus et des pays conquis se superposèrent, mais l'arrivée du christianisme allait introduire de nouvelles pratiques religieuses, qui aboutirent rapidement à la disparition des mythes. C'est pourquoi la plupart des mythes scandinaves connus proviennent de la Scandinavie, convertie au christianisme au XIe siècle seulement, soit plusieurs siècles après l'Angleterre et l'Europe centrale.

Les Vikings étaient de valeureux guerriers, aussi redoutables sur terre que sur mer. Les héros de leurs mythes affrontent également sans peur tous les dangers.

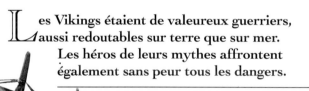

Cette tapisserie suédoise (v. 1100 ap. J.-C.) représente les dieux Odin, Thor et Freyr, principales divinités vénérées en Suède avant la conversion au christianisme.

AUX SOURCES DES MYTHES

Chez les Scandinaves, les mythes se transmettaient oralement. Notre connaissance des traditions anciennes provient essentiellement des écrits du Moyen Age, et notamment de deux recueils islandais, l'*Edda poétique* et l'*Edda prosaïque*.

DES DIEUX ANCIENS

En Scandinavie, le culte des divinités est très ancien : on a en effet découvert en Suède une sculpture sur roc qui remonte à l'âge du bronze et représente un homme de haute taille muni d'une lance. D'autres vestiges font état d'un culte voué à une déesse de la terre.

Le premier est un ensemble de poèmes anonymes (des VIIIᵉ-XIIIᵉ siècles) qui reprennent les mythes traditionnels scandinaves. Le second recueil (XIIIᵉ siècle) est l'œuvre d'un seul homme, le poète et érudit islandais Snorri Sturluson. Il raconte la genèse et les mythes fondateurs scandinaves, ainsi que les hauts faits des dieux et des déesses, des géants et des nains, des elfes et des héros.

Les Scandinaves étaient accoutumés à des conditions de vie très rudes, que la fréquence des guerres rendait plus dures encore. C'est sans doute pour cette raison que les combats gigantesques opposant les dieux et les monstres leur semblaient si familiers. Mais on trouve également dans leurs mythes un réel besoin d'expliquer la création du monde et son ordonnancement.

LA CRÉATION

Avant le commencement du monde, il n'y avait que Ginnungagap, « la Béance », qui s'étendait entre **MUSPELL**, terre de feu, et **NIFLHEIM**, terre de glace. La glace et le feu s'unirent, et leur union donna forme au géant **YMIR** et à la vache **AUDUMLA**. Puis naquirent d'autres géants de glace du corps d'Ymir. De sa langue râpeuse, Audumla lécha les blocs de glace salée et donna corps à Buri.

Celui-ci eut un fils, Bor, qui à son tour engendra **ODIN**, Vili et Ve, les premiers dieux. Lorsque Odin et ses frères atteignirent l'âge adulte, ils tuèrent le géant Ymir et de son corps créèrent le monde. Son sang devint les mers, ses os les montagnes, et sa chair la terre. Puis les dieux prirent des étincelles à Muspell et en firent le soleil, la lune et les étoiles. Le crâne d'Ymir servit à façonner le ciel. Sur le corps du géant, quatre asticots grandirent, qui devinrent quatre nains. Ils reçurent pour noms Nord, Sud, Est et Ouest ; chacun se plaça à un angle, pour tenir les quatre coins du ciel. Odin, Vili et Ve s'attachèrent ensuite à mettre de l'ordre dans le monde ainsi créé. Prenant les branches d'un frêne et celles d'un orme qui poussaient au bord de la mer, ils créèrent le premier homme et la première femme.

Les racines d'Yggdrasil s'enfoncent dans le monde souterrain. Le tronc de l'arbre se situe dans la demeure des dieux, Asgard, tandis que ses branches s'élancent vers les cieux.

Enfin, ils construisirent **ASGARD**, la demeure des dieux. Les Scandinaves considéraient que le monde se composait de plusieurs terres, ou royaumes. La terre, **MIDGARD**, était l'un d'entre eux. Une légende très ancienne fait état de neuf mondes superposés à l'intérieur d'un arbre cosmique appelé **YGGDRASIL**.

Ce monument funéraire a été découvert en Suède, dans l'île de Gotland. On voit le dieu Odin accueilli dans son palais, le Walhalla, par une Walkyrie.

Le grand ennemi de Thor est Jormungand, le Serpent cosmique. Un jour, Thor partit à la pêche avec le géant Ymir et, ayant pris pour appât une tête de bœuf, réussit à ferrer le serpent. La lutte fut effroyable et Ymir, épouvanté, préféra couper la ligne de Thor, laissant Jormungand s'échapper.

l'hydromel destiné à apaiser la soif des guerriers d'Odin. Midgard, le monde des mortels, est un espace circulaire entouré d'un océan. Dans les profondeurs de l'océan, le corps enroulé autour de la terre, se tient le Serpent cosmique, l'effroyable Jormungand.

Il existe deux familles de dieux : les **ASES**, qui ont pour demeure Asgard, et les **VANES**, qui séjournent dans un royaume nommé Vanaheim, situé sous la terre. Parmi les neuf mondes, les plus célèbres sont celui des elfes, celui des nains ou encore celui des forces du destins. Ces mondes sont reliés par différentes voies. La plus célèbre est **BIFROST**, le pont de l'arc-en-ciel reliant Asgard et Midgard.

L'ARBRE COSMIQUE

Yggdrasil a trois racines. La première atteint Niflheim, le séjour des morts ; la seconde remonte vers Asgard ; la troisième s'étire jusqu'à Jotunheim, le pays des géants. Au pied d'Yggdrasil réside le dragon **NIDHOGG**, qui en ronge les racines. Un aigle est perché sur les plus hautes branches, tandis qu'un écureuil fait la navette entre les deux, transmettant au serpent les insultes de l'aigle, et inversement. Des racines de l'arbre jaillit une source bouillonnante, la source de toute sagesse. Un cerf grignote les basses branches et une chèvre broute l'herbe non loin de lui. Des bois du cerf partent les rivières du monde, tandis que la chèvre a pour mission de donner

LE DIVIN MARTEAU

Thor, dieu du tonnerre, était l'une des divinités les plus populaires. On portait souvent en son honneur un pendentif représentant un petit marteau, l'attribut du dieu. Lors des mariages, on plaçait un maillet sur les genoux de la mariée. Ce motif ornait également les pierres tombales.

Cette figurine de bronze provient du Jutland (Danemark). On pense qu'elle représente Freyja, déesse de la fécondité.

RAGNARÖK

Les Scandinaves pensaient que les dieux, tout comme les hommes, se trouvaient sous la menace constante des géants. Ceux-ci enviaient les immenses trésors des dieux et désiraient posséder la belle déesse **FREYJA**. Pour obtenir satisfaction, ils étaient prêts à détruire le monde et à le faire retourner au chaos. Afin d'aider les dieux dans leur lutte contre les géants, les plus valeureux guerriers tombés à la bataille étaient emportés au **WALHALLA**. Là, dans le palais du dieu Odin, ils se battaient et festoyaient, en attendant **RAGNARÖK**, la grande bataille prophétique. Le mythe de Ragnarök annonce et décrit la fin

Lors de la grande bataille de Ragnarök, Odin sera tué par Fenrir, le loup monstrueux.

du monde. Juste avant la grande bataille, la tension entre les dieux et les géants atteindra son paroxysme. L'état de guerre deviendra permanent et l'anarchie régnera sur la terre. Le loup **FENRIR** engloutira le soleil et la lune. Les étoiles tomberont et les montagnes s'effondreront. Ragnarök surviendra au moment où le mauvais génie **LOKI** brisera les liens qui le neutralisaient jusqu'alors. Avec l'aide du géant de feu **SURT**, Loki mènera l'assaut contre Asgard, le royaume des dieux. Le combat sera sans merci entre dieux et géants, et la terre

embrasée par Surt. **VIDAR**, l'un des fils d'Odin, Magni, ainsi que **LIF** et **LIFRATHSIR**, l'homme et la femme, seront les seuls survivants. Ils se réfugieront dans l'Arbre du Monde et, pour finir, ils hériteront d'Asgard ainsi que d'une terre régénérée, ultime expression de l'espoir d'un monde meilleur.

FESTOYER

Pour s'assurer de bonnes récoltes et obtenir la victoire au combat, les Vikings offraient des sacrifices à leurs dieux lors des grandes fêtes qui jalonnaient l'année : *Vetrarblot* en octobre, *Jolablot* en janvier, *Sigrblot* en avril. Chacune était l'occasion de grands festins où l'on buvait en abondance.

Balder, fils d'Odin, était le plus aimé de tous les dieux. Après sa mort tragique, son épouse Nanna mourut de chagrin. Leurs corps furent brûlés sur un bateau, bûcher funéraire réservé aux chefs.

AEGIR Dieu de la mer, que l'on voit parfois une lance à la main, même s'il tient habituellement un filet. En compagnie de son épouse Ran, il capture les marins pour les emmener à la grande table des banquets de son palais, au plus profond des eaux. Ses neuf filles agitent les flots, suscitant les vagues de la mer.

•

ALFAR Les elfes, êtres merveilleux et bienveillants s'ils appartiennent à la famille des Lios Alfar (« elfes blancs »), viennent volontiers en aide aux fermiers et aux pêcheurs, non sans une pointe de malice. Leurs cousins, les Svart Alfar (« elfes sombres »), sont en revanche malfaisants et malintentionnés.

•

ANDVARI Ce nain possédait un anneau enchanté capable de produire de l'or. L'anneau et le trésor des nains furent volés par le fourbe **LOKI** qui avait enlevé, sous un déguisement, Andvari et prétendait le libérer moyennant récompense ! Courroucé par ce vol, Andvari lança une malédiction contre l'anneau et le trésor.

•

ANGURBODI De l'union de cette géante avec **LOKI** naquirent les trois monstres **FENRIR**, **HEL** et Jormungand, le Serpent cosmique.

ASES ET VANES Ce sont les deux principaux groupes de divinités scandinaves. Les Ases et les Vanes luttèrent les uns contre les autres, avant de conclure une trêve et d'unir leurs forces contre les géants. En gage de paix, **NJORD**, **FREYJA** et **FREYR**, les principaux Vanes, allèrent séjourner parmi les Ases. Les Vanes, dieux de la fécondité, habitent le Vanaheim, tandis que les Ases, dieux guerriers, résident à **ASGARD**, sous l'autorité absolue d'**ODIN**.

•

ASGARD Demeure des **ASES**, cette immense forteresse est entourée d'une muraille et reliée à **MIDGARD**, la terre, par **BIFROST**, le pont de l'arc-en-ciel. Dans l'enceinte d'Asgard se trouvent notamment le **WALHALLA** et **YGGDRASIL**, l'Arbre du Monde. La muraille qui protégeait Asgard avait été démolie lors d'une guerre contre les **VANES**. Un géant proposa de la reconstruire, à condition que **FREYJA** consente à l'épouser. Les dieux acceptèrent, en imposant que le travail fût achevé en un seul hiver. La tâche semblait irréalisable, mais l'infatigable cheval Svadilfari tira sans relâche les énormes pierres. Redoutant de perdre Freyja, les dieux firent appel à **LOKI** qui, sous l'aspect d'une jument, détourna Svadilfari de son labeur. Et l'ouvrage ne fut jamais achevé…

Les nains, ou Dvergar, étaient renommés pour leur habileté à travailler l'or ou l'argent, et à fabriquer des bijoux. Parmi les trésors dont ils firent don aux dieux, on peut citer Draupnir, l'anneau d'or d'Odin ; Mjollnir, le marteau de Thor ; un sanglier à toison d'or ; Gleipnir, la chaîne enchantée qui servit à attacher Fenrir, le loup monstrueux, et d'innombrables anneaux, épées, heaumes et autres colliers enchantés.

ASK et **EMBLA** Ask est le premier homme, créé par les dieux avec un frêne, et Embla la première femme, née d'un orme. Ils virent le jour sur les rivages de **MIDGARD**.

•

AUDUMLA C'est la vache primordiale. Elle prit forme dans le grand vide qui séparait **MUSPELL** et **NIFLHEIM**, avant le commencement du monde. Audumla est née de la rencontre du feu et de la glace. Léchant éternellement les montagnes de glace salée, elle donna forme à Buri, père de Bor, qui à son tour engendra **ODIN** et ses frères.

•

BALDER Fils préféré d'**ODIN** et de **FRIGG**. Dieu du soleil, il représentait la bonté, le bonheur, la beauté et la sagesse. Invulnérable, il n'avait qu'une chose à redouter : le gui. Il fut tué accidentellement par **HODER**, le dieu aveugle qui, sur les mauvais conseils de **LOKI**, l'atteignit d'une fléchette taillée dans du gui.

•

BIFROST Ce pont de l'arc-en-ciel relie **MIDGARD**, la terre, et **ASGARD**, la demeure des dieux. Gardée par **HEIMDALL**, le « dieu blanc », c'est l'unique voie menant à Asgard.

•

BRAGI Dieu de la poésie et de la connaissance, fils d'**ODIN** et époux d'**IDUNN**. Il accueille dans le palais du **WALHALLA** les guerriers tués au combat et chante leurs exploits.

BRYNHILD D'une merveilleuse beauté, c'est la première des **WALKYRIES**. Fille du dieu **ODIN**, elle fut sauvée d'un cercle de feu par **SIGURD** et tomba amoureuse de lui. Mais Sigurd épousa Gudrun, après avoir absorbé un breuvage enchanté préparé par la mère de Gudrun et destiné à lui faire oublier Brynhild. Celle-ci en eut le cœur brisé. Sigurd la libéra une seconde fois du cercle de feu, ayant pris soin de se faire passer pour Gunnar, frère de Gudrun. Alors Brynhild épousa Gunnar, son « sauveur ». Elle ne pardonna jamais à Sigurd et provoqua sa mort. Tenaillée par le remords, elle se précipita dans le bûcher funéraire de Sigurd.

•

DRAUPNIR L'anneau d'or du dieu **ODIN**, forgé par les nains, est le père de tous les anneaux : toutes les neuf nuits, huit nouveaux anneaux naissent de lui. Odin plaça Draupnir sur le bûcher funéraire de son fils **BALDER** en ultime présent. Lorsque **HERMODR** fut envoyé au pays des morts pour obtenir, en vain, que Balder leur soit rendu, ce dernier lui remit l'anneau pour prouver qu'ils s'étaient rencontrés.

•

DVERGAR Créés par les dieux, petits et trapus, les nains, ou Dvergar, portent une barbe grise et demeurent dans des lieux souterrains, à l'intérieur des montagnes et des cavernes. Artisans renommés, ils excellent aux travaux de la forge et sont d'inégalables orfèvres. Ils sont en général bienveillants, mais malheur aux humains qui s'emparent de leurs trésors !

•

EMBLA (voir **ASK**)

> Les dieux ne sauraient trouver sentinelle plus sûre que Heimdall : sa vue couvre l'immensité et on le dit capable d'entendre pousser la laine sur le dos d'un mouton.

FAFNIR Cet homme se métamorphosa en dragon pour garder le trésor dont il avait dépossédé son père. Ce trésor appartenait autrefois à **ANDVARI**, qui avait lancé une malédiction contre lui. Fafnir fut tué par **SIGURD**, qui devint à son tour possesseur du trésor... mais aussi de sa malédiction.

●

FENRIR Loup gigantesque et monstrueux, fils de **LOKI** et de la géante **ANGURBODI**. Lorsque le monstre grognait, sa mâchoire inférieure venait racler la terre et son museau montait jusqu'au ciel. Il finit par devenir si féroce que les dieux décidèrent de l'enchaîner. Il fut prédit que Fenrir se libérerait au moment de **RAGNARÖK**.

●

FREYR Dieu de la paix et de la fécondité, fils de **NJORD** et de Skadi, la géante de glace, frère jumeau de **FREYJA**. Son embarcation, *Skidbladnir*, avait été construite par les nains. Ayant toujours vent favorable, elle était assez grande pour transporter tous les dieux et pourtant, une fois repliée, elle tenait dans une poche. Freyr tomba amoureux de **GERD**, géante d'une grande beauté. Ne pouvant quitter **ASGARD**, il envoya son serviteur **SKIRNIR** au pays des géants pour transmettre sa déclaration. Le serviteur revint avec Gerd qui épousa Freyr, lequel offrit à Skirnir, en récompense, son invincible épée. Freyr sera tué par le géant **SURT** lors de **RAGNARÖK**.

●

FREYJA Déesse de la fécondité et de l'amour, fille de **NJORD** et de Skadi, sœur jumelle de **FREYR**. Décrite comme la plus belle de toutes, elle est désirée par les dieux et les hommes. Déesse des batailles et de la mort, elle a le droit de choisir la moitié des hommes tués au combat. Elle emporte ses héros au grand banquet de son palais de Folkvangar, tandis que les autres rejoignent le **WALHALLA**.

●

FRIGG Déesse de la fertilité et du foyer. Elle est l'épouse d'**ODIN**, mère de **BALDER** et reine d'**ASGARD**. Une nuit, Balder rêva qu'il allait bientôt être tué. Les dieux envoyèrent Frigg demander à toutes choses vivantes la promesse de ne jamais faire de mal à son fils. Toutes et tous promirent, à l'exception du gui, Frigg ayant omis de lui adresser sa requête tant il paraissait inoffensif.
Avec sa fourberie coutumière, **LOKI** suggéra à **HODER**, le dieu aveugle, de lancer une fléchette de gui sur Balder qui mourut le cœur transpercé.

●

GARM Chien redoutable enchaîné à l'entrée de **NIFLHEIM**, où il garde le séjour des morts. Lors de la bataille décisive de **RAGNARÖK**, on dit que Garm brisera ses chaînes et se battra contre **TYR**. L'un et l'autre s'entre-tueront.

●

GERD Géante originaire du pays des géants de glace ou, selon certains récits, de l'un des mondes souterrains. Lorsque **FREYR** l'aperçut, il en tomba follement amoureux. Il chargea son serviteur **SKIRNIR** de tout tenter pour la ramener à **ASGARD**, son royaume, ce dont il s'acquittera avec succès.

●

HEIMDALL C'est le « dieu blanc » qui protège **ASGARD** en montant la garde près de **BIFROST**, le pont de l'arc-en-ciel. Il doit sonner du cor pour avertir les dieux de l'approche des géants lorsque viendra le moment de la bataille de **RAGNARÖK**. Il est prédit qu'il combattra **LOKI** et qu'ils s'entre-tueront.

●

HEL Fille de **LOKI** et de la géante **ANGURBODI**. Déesse des morts, elle séjourne au **NIFLHEIM**, monde souterrain de ténèbres et de brumes. Si le haut de son corps est d'une éblouissante beauté, le bas est quant à lui en putréfaction.

HERMODR Messager des dieux, fils d'**ODIN**
et de **FRIGG**. Après la mort de son frère **BALDER**,
Hermodr se rendit au plus vite au séjour
des morts, **NIFLHEIM**, et implora **HEL** de laisser
son frère revenir à **ASGARD**. Hel accéda
à sa demande en y mettant une condition :
que tout être et toute chose vivante veuillent
bien verser une larme sur le sort de Balder.
Tous les efforts de Hermodr furent réduits
à néant par le refus de **LOKI**, qui s'était
métamorphosé en géante. Pour sa cruauté,
Loki fut enchaîné sur trois rochers.

●

HODER Frère jumeau de **BALDER**. Lorsque
FRIGG eut obtenu de tout ce qui vivait
au monde la promesse de ne faire aucun mal
à son fils Balder, les dieux, par plaisanterie,
lancèrent sur lui toutes sortes d'objets. Mais
elle avait négligé de demander sa promesse
au gui. **LOKI** persuada Hoder, le dieu aveugle,
de se joindre à eux, lui mettant entre
les mains une fléchette qu'il avait taillée
dans du gui. La fléchette transperça le cœur
de Balder, qui mourut sur-le-champ.

●

HRUNGNIR Géant qui défia **ODIN** à la course.
Par mégarde, les deux cavaliers pénétrèrent
dans l'enceinte d'**ASGARD**, où les géants
étaient très mal acceptés. Les dieux offrirent
néanmoins à boire à Hrungnir, mais plus

le géant buvait et plus il se montrait grossier.
THOR en fut irrité et lui proposa un combat.
Hrungnir lança son énorme pierre à affûter
en direction du dieu, qui lui envoya son
marteau. Les deux armes s'entrechoquèrent
en vol : la pierre du géant vola en éclats,
tandis que le marteau de Thor poursuivit
sa trajectoire et tua Hrungnir.

●

IDUNN Epouse de **BRAGI**, son rôle est
de veiller sur les pommes d'or qui procurent
aux dieux l'immortalité.
Le géant Thiazi, métamorphosé en aigle, la
captura et vola les pommes, avec la complicité
de **LOKI** qui, par ruse, avait attiré la déesse
hors d'**ASGARD**. Les dieux, condamnés
à vieillir, menacèrent de tuer Loki
s'il ne trouvait pas le moyen de reconquérir
les pommes d'or.

●

JOTNAR Race primordiale des géants, dont
la patrie est Jotunheim. Le corps du premier
géant, **YMIR**, fut utilisé par les dieux pour
créer la terre. Les géants sont les ennemis
irréductibles des dieux et ils ont pour destin
de les vaincre à la bataille de **RAGNARÖK**.

●

KVASIR Lorsque les **ASES** et les **VANES**
décidèrent de faire la paix, tous les dieux
crachèrent dans une cuve pour sceller leur
union. Avec le contenu de la cuve, ils créèrent
Kvasir, dieu de la plus grande sagesse.
Ce dernier fut tué par deux nains, mais son
sang, recueilli dans un chaudron et mélangé

Métamorphosé
en faucon
par les dieux, Loki
partit reconquérir
les pommes d'or
de l'éternelle jeunesse.
Ayant à son tour
transformé la déesse
Idunn en noix, Loki
l'emporta avec lui,
poursuivi par Thiazi,
un géant lui-même
devenu aigle. Comme
ils approchaient
d'Asgard, les dieux
tuèrent Thiazi, après
avoir brûlé ses ailes.

Muspell est la patrie des géants du Feu. Surt, leur chef, les mènera à la grande bataille de Ragnarök.

à du miel par les nains, permit de créer l'hydromel, source d'inspiration, de poésie et de sagesse. Le géant **SUTTUNG** vola l'hydromel, mais **ODIN** réussit à le récupérer.

•

LIF et **LIFRATHSIR** Lif (la vie) et Lifrathsir (qui désire la vie) sont l'homme et la femme destinés à échapper au massacre de **RAGNARÖK** en se cachant à l'intérieur de l'Arbre du Monde. Ils sont appelés à fonder une nouvelle race d'hommes.

•

LOKI Dieu fourbe et malin, célèbre pour ses ruses et ses mauvais tours. Avec la géante **ANGURBODI**, il engendra **HEL**, **FENRIR** et Jormungand, le Serpent cosmique. Il accompagne **THOR** dans bon nombre de ses aventures. Pour le punir de son rôle dans la mort de **BALDER**, les dieux l'enchaînèrent à la terre, sous un serpent dont le venin brûlant lui coulait goutte à goutte sur le visage. Il se libérera lors de la bataille de **RAGNARÖK**, et s'entre-tuera avec **HEIMDALL**.

•

MIDGARD Le monde du milieu, terre des hommes, situé entre **ASGARD** et Jotunheim, patrie des géants de glace. Midgard fut créé avec le corps du géant primordial **YMIR**, tué par **ODIN** et ses frères. Il est relié à Asgard par **BIFROST**, le pont de l'arc-en-ciel. L'une des trois racines d'**YGGDRASIL**, l'Arbre du Monde, s'ancre dans Midgard.

MUSPELL Avant le commencement du monde, Muspell (également appelé Muspellheim) et **NIFLHEIM** étaient les deux seuls lieux existants, de part et d'autre du néant. Muspell était le royaume du feu, dont la chaleur contribua à la création du monde en faisant fondre dans le vide la glace de Niflheim, ce qui donna forme à la vache **AUDUMLA** et au géant **YMIR**.

•

NIDHOGG Monstre maléfique à corps de dragon, qui séjourne au rivage des cadavres, Nastrond, dans le royaume de **NIFLHEIM**. Il s'efforce de tuer **YGGDRASIL**, l'Arbre du Monde, en rongeant sa racine. Il se nourrit de corps sans vie, avec une prédilection pour ceux des hommes malfaisants.

•

NIFLHEIM Monde de glace, de brumes et de ténèbres, à l'intérieur duquel se trouve le séjour des morts. La plus longue des trois racines d'**YGGDRASIL** plonge au plus profond de Niflheim, rongée par le dragon **NIDHOGG**. Niflheim est gouverné par **HEL**, et **GARM**, le chien féroce, monte la garde à son entrée.

•

NJORD Dieu de la mer et des vents, protecteur des marins. Premier des **VANES**, il est père de **FREYR** et de **FREYJA**. Il apporte la paix entre les deux familles de dieux en allant s'établir avec les siens chez les **ASES**. Il a pour épouse Skadhi, fille du géant Thiazi. Mais Njord ne supportant pas de s'éloigner de la chaleur d'**ASGARD** et son épouse préférant le froid des montagnes où elle chasse volontiers, ils vivent tantôt ici, tantôt là, créant ainsi le cycle des saisons.

•

ODIN Premier des dieux, de la famille des **ASES** et roi d'**ASGARD**, on l'appelle également le Père universel. Dieu de la guerre et de la mort, il lui suffit de planter sa lance pour provoquer la guerre. Avec ses deux frères, Ve et Vili, il a tué le géant **YMIR** pour créer **MIDGARD**, la terre, et donné leur mouvement au soleil et à la lune. Il a ensuite créé **ASK** et **EMBLA**, le premier homme et la première femme. Il a pour épouse **FRIGG**, mais elle n'est pas la mère de tous ses enfants. Odin est également le dieu de la sagesse et de la magie, de l'inspiration et de la prophétie. Pour accéder à la connaissance, il a surmonté

Sigurd réussit à tuer le dragon Fafnir et à s'emparer de son trésor. Mais la malédiction qui pesait sur ce trésor entraîna sa propre mort.

maintes épreuves. Pour connaître les secrets des morts, il s'est pendu aux branches d'**YGGDRASIL**, l'Arbre du Monde. Il a aussi sacrifié l'un de ses yeux pour une seule gorgée de Mimir, la source du savoir de la terre des géants. Il règne sur le **WALHALLA** et il est prédit qu'il sera dévoré par **FENRIR** lorsque viendra **RAGNARÖK**.

•

RAGNARÖK Bataille prophétique décrite dans un poème qui date d'environ 1000 ap. J.-C. Elle opposera les dieux et les géants sur la plaine de Vigrid et mettra un terme au monde présent. Les seuls dieux survivants seront Magni, fils de **THOR**, et **VIDAR**, fils d'**ODIN**.

•

REGIN Forgeron, frère de **FAFNIR**, le dragon. Ce dernier avait tué leur père Hreidmar et volé le trésor d'**ANDVARI**. Regin demanda à **SIGURD** de venger son père en tuant Fafnir et de reprendre le trésor. Regin forgea une épée si dure et si tranchante qu'elle pouvait fendre une enclume, et Sigurd, armé de cette épée, put tuer le dragon. Mais Regin voulait en fait s'emparer du trésor. Lorsqu'il découvrit sa traîtrise, Sigurd lui trancha la tête.

•

SIGURD Héros d'une force, d'un courage et d'une beauté exemplaires. Orphelin, il fut élevé par **REGIN**, le forgeron traître et malveillant, qui lui conta l'histoire du trésor d'**ANDVARI**. A la demande de Regin, Sigurd tua **FAFNIR**. Le sang du dragon possédait des pouvoirs merveilleux : ayant léché celui qu'il avait sur les doigts, Sigurd découvrit qu'il comprenait le langage des oiseaux. Ceux-ci le mirent alors en garde contre les mauvaises intentions de Regin, auquel Sigurd trancha la tête.

•

SIGYN Tandis que **LOKI** est enchaîné à la terre au-dessous d'un serpent venimeux, sa fidèle épouse Sigyn recueille dans un bol le venin censé tomber sur son visage.

Mais, chaque fois qu'elle vide le bol, le venin tombe sur le visage de Loki. Sous la douleur, le dieu lutte et se débat dans de telles convulsions qu'il en fait trembler la terre.

•

SKIRNIR Serviteur de **FREYR**, il porta la déclaration d'amour de son maître à la belle géante **GERD** et la lui ramena pour épouse.

•

SURT Premier des géants de feu de **MUSPELL**. Lors de la grande bataille de **RAGNARÖK**, il entrera dans **ASGARD**, à la tête de l'armée des géants, et franchira **BIFROST**, le pont de l'arc-en-ciel, qui s'écroulera sous leur poids. Ainsi que leurs alliés les géants de glace, tous les géants de feu périront au combat sur la plaine de Vigrid, à l'exception de Surt, qui fera de **MIDGARD** et d'Asgard un immense brasier.

•

SUTTUNG Géant dont les parents furent tués par deux nains, ceux-là même qui avaient tué **KVASIR**. Suttung les captura et les mit sur un rocher au beau milieu de la mer, menaçant de les laisser s'y noyer. Pour avoir la vie sauve, les deux nains donnèrent au géant l'hydromel.

Odin chevauche Sleipnir, le destrier à huit pattes capable de l'emporter sur terre, sur mer et dans les airs.

La chaîne enchantée qui retenait le loup Fenrir avait été fabriquée avec le nerf d'un ours, le crachat d'un oiseau, le bruit d'un pas de chat, le souffle d'un poisson, la racine d'une montagne et la barbe d'une femme. Tandis que le monstre se débattait, Tyr sacrifia sa main pour permettre aux autres dieux d'enchaîner le terrible animal.

Suttung enferma le précieux liquide dans une caverne, au plus profond de la montagne. Afin de s'en emparer, **ODIN** fora l'épaisseur de la montagne avant de se métamorphoser en serpent pour atteindre la caverne. Il aspira tout l'hydromel dans sa bouche puis, devenu aigle, regagna **ASGARD**.

•

THOR Puissant dieu du tonnerre et du soleil, et l'un des principaux dieux de la famille des **ASES**. Fils aîné d'**ODIN**, il a pour mère la terre. Thor est l'ami des hommes et l'ennemi juré des **JOTNAR**, les géants.
Son attribut le plus fameux est Mjöllnir, le marteau « destructeur » forgé par les nains. Quiconque en est frappé est tué sur-le-champ, et le marteau retourne de lui-même dans les mains de Thor. Le dieu possède également une ceinture enchantée qui décuple ses forces, et des gants de fer avec lesquels il peut saisir les armes les plus tranchantes. Il traverse le ciel sur son char brûlant tiré par un attelage de boucs géants. Quand il manie le marteau, le tonnerre retentit, tandis que des éclairs jaillissent des roues de son char.

•

THRYMR Géant de glace qui s'empara de Mjöllnir, le marteau de **THOR**. **LOKI**, ami de Thor, se métamorphosa en faucon et partit à sa recherche. Il découvrit le voleur, qui n'accepta de rendre le marteau que si on

lui accordait **FREYJA** pour épouse. L'affaire fut conclue mais, au jour dit, Thor en personne se rendit auprès des géants de glace, se faisant passer pour Freyja par un habile déguisement. Lors de la cérémonie, Thor s'empara du marteau, en assena un coup mortel à Thrymr et massacra tous les invités.

•

TROLLS A l'origine, les trolls faisaient partie de la race primordiale des géants. Gigantesques par leur taille et d'un caractère insupportable, ils étaient tout particulièrement ennemis de **THOR**. Plus tard, on les retrouva dans les montagnes, habiles artisans, un peu à la manière des nains, les **DVERGAR**.

•

TYR Dieu guerrier, fils d'**ODIN** et de **FRIGG**, et patron des athlètes. Lorsque les dieux décidèrent d'enchaîner **FENRIR**, le loup monstrueux, ils demandèrent aux nains de forger une chaîne enchantée assez solide pour le retenir. Fenrir était d'une telle férocité que la seule solution, pour l'enchaîner, était de lui faire croire qu'on allait ensuite le relâcher. Pour le convaincre, Tyr mit sa main entre les mâchoires du monstre. Mais quand il vit qu'on ne le relâcherait pas, Fenrir trancha d'un coup de dents la main de Tyr, depuis lors nommé « le Manchot ».

•

UTGARD-LOKI Géant régnant sur Utgard, terre située par-delà **ASGARD**. **THOR** et **LOKI** s'y rendirent, accompagnés d'un homme, Thialfi. Ils furent tous trois soumis à une série d'épreuves. Loki eut à se mesurer au géant Logi pour savoir qui mangerait le plus ; Thialfi fut opposé au géant Hugi à la course. On remit entre les mains de Thor une coupe à boire — une immense corne qu'il devait vider —, puis on lui donna un chat à porter. Il eut aussi à lutter contre la vieille mère adoptive d'Utgard-Loki. Tous trois échouèrent, à leur grande honte. Utgard-Loki, les raccompagnant à la porte de son royaume, leur donna quelques éclaircissements : Logi était le Feu qui consume toutes choses ; Hugi la Pensée, plus rapide que le meilleur coureur ; la corne plongeait dans les profondeurs de l'océan ; le chat était Jormungand, le Serpent cosmique ; quant à sa mère adoptive, c'était la Vieillesse, que nul ne pouvait vaincre.

VANES (voir **ASES**)

●

VIDAR Dieu silencieux et fort, fils d'**ODIN**. Il est prédit qu'il sera l'un des survivants de la bataille de **RAGNARÖK**, et qu'il vengera la mort de son père en abattant **FENRIR**.

●

WALHALLA Palais où résident les guerriers tués au combat, dont les murailles étaient construites avec leurs boucliers et les toits avec leurs épées.

●

WALKYRIES Divinités féminines, belles messagères du dieu **ODIN** et hôtesses du **WALHALLA**, l'un des palais d'**ASGARD**. Guerrières menées par **BRYNHILD**, elles décident quels seront les combattants tués à la bataille et chevauchent dans le ciel pour ramener à Odin son contingent de héros. Au XIXᵉ siècle, le compositeur allemand Richard Wagner créa le cycle de *L'Anneau des Nibelungen*, également appelé *La Tétralogie*, qui regroupe quatre opéras :

L'Or du Rhin, La Walkyrie, Siegfried, Le Crépuscule des dieux, tous centrés sur l'histoire de Brynhild et de **SIGURD**, respectivement appelés Brunehilde et Siegfried.

●

YMIR Géant primordial, également nommé Aurgelmir. Les trois dieux **ODIN**, Ve et Vili le tuèrent pour créer **MIDGARD**. Ils prirent sa chair pour former la terre, ses os pour faire les montagnes, ses dents devinrent les rochers, son sang remplit les rivières et les mers. Enfin, son cerveau, lancé dans les airs, forma les nuages.

●

YGGDRASIL C'est l'Arbre du Monde. Ses trois racines plongent chacune dans l'une des trois principales parties du monde : **ASGARD**, **MIDGARD** et **NIFLHEIM**, la troisième atteignant même Jotunheim, la patrie des géants. Il est arrosé par trois déesses qui décident du destin des dieux et des hommes, les Nornes : Urd (la Destinée), Verdandi (l'Existence) et Skuld (la Nécessité).

Ce pendentif en argent, fabriqué en Laponie au VIᵉ siècle, pourrait représenter une Walkyrie.

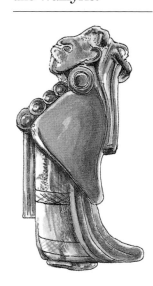

Armées de pied en cap, les Walkyries emportent les guerriers morts à la bataille.

L'AFRIQUE

Il y a quatre millions d'années, l'Afrique fut
le berceau de l'humanité. Trois fois plus vaste que
l'Europe, c'est le deuxième continent par sa superficie,
juste après l'Asie. On y parle un millier de langues :
certaines sont très répandues, d'autres utilisées
par quelques centaines d'individus seulement.
L'Afrique regroupe un très grand nombre de peuples
et presque autant de mythologies.

On divise généralement l'Afrique subsaharienne
en quatre grandes zones, que l'on nomme occidentale,
orientale, centrale et australe. Cette partition est
avant tout géographique : en effet, les mythologies
africaines possèdent une multitude de thèmes et
de personnages que l'on retrouve sur tout le continent,
mais sous des noms différents. Ainsi, le Serpent
cosmique qui, au Bénin, porte le nom de Dan Ayido
Hwedo, s'appelle Nkongolo au Zaïre.

Au temps où le continent africain ne connaissait
pas l'écriture, tout récit se transmettait oralement.
Les anciens étaient la mémoire vivante des noms
et des événements historiques. Au XIIᵉ siècle,
l'écriture arabe se généralisa dans le nord de l'Afrique,
mais les mythes demeurèrent dans la tradition
orale. Il fallut attendre le XIXᵉ siècle, et l'arrivée
de voyageurs et d'historiens européens venus étudier
les coutumes et les mythes africains, pour que
ceux-ci soient transcrits et diffusés hors de leurs
pays d'origine.

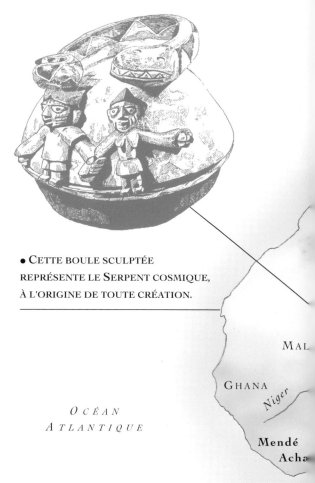

● CETTE BOULE SCULPTÉE
REPRÉSENTE LE SERPENT COSMIQUE,
À L'ORIGINE DE TOUTE CRÉATION.

MAL

GHANA   Niger

OCÉAN
ATLANTIQUE

Mendé
Acha

Les ruines du Grand Zimbabwe, cité
fortifiée construite entre les XIᵉ et XIVᵉ
siècles, sont parmi les plus grandioses d'Afrique
A l'intérieur des murailles de granit se trouvaien
plusieurs espaces d'habitation et une tour coniqu
haute de dix mètres.

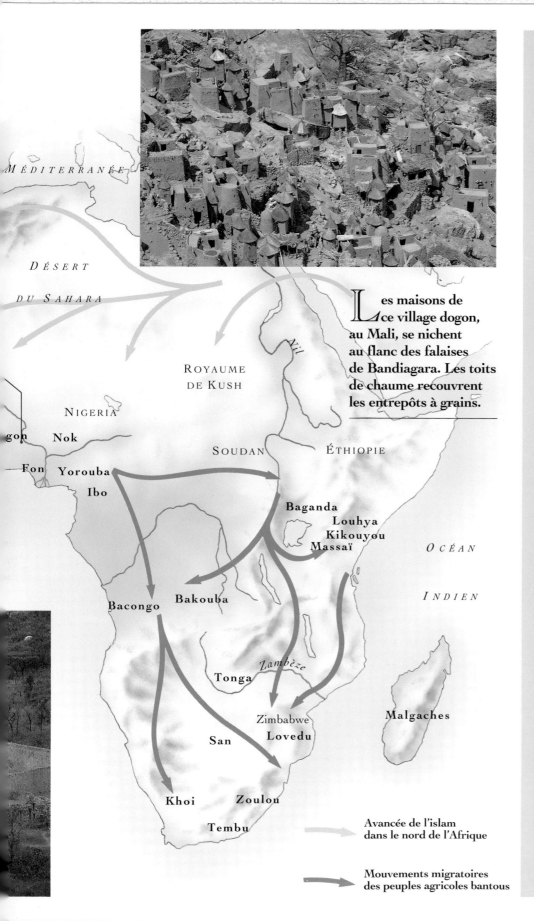

M É D I T E R R A N É E

D É S E R T

D U S A H A R A

Nil

ROYAUME
DE KUSH

NIGERIA

gon   Nok

Fon   Yorouba
         Ibo

SOUDAN

ÉTHIOPIE

Baganda
Louhya
Kikouyou
Massaï

O C É A N

I N D I E N

Bacongo   Bakouba

Zambèze

Tonga

Malgaches

Zimbabwe
Lovedu

San

Khoi   Zoulou

Tembu

Les maisons de
ce village dogon,
au Mali, se nichent
au flanc des falaises
de Bandiagara. Les toits
de chaume recouvrent
les entrepôts à grains.

Avancée de l'islam
dans le nord de l'Afrique

Mouvements migratoires
des peuples agricoles bantous

CHRONOLOGIE

v. 2500 av. J.-C.
La sécheresse commence
à frapper les étendues herbeuses
et fertiles du Sahara

v. 750
Le puissant royaume de Kush,
qui occupe le Soudan actuel,
conquiert l'Égypte

v. 600
Les migrations des peuples
agricoles bantous, établis
en Afrique occidentale, s'amorcent
en direction du sud

v. 430
L'historien grec Hérodote rapporte
que le peuple du royaume de Kush
vénère les dieux grecs Zeus
et Dionysos

v. 400
Apogée de la culture Nok
au Nigeria

•

v. 350 ap. J.-C.
Le christianisme atteint l'Éthiopie

v. 700
Le nord de l'Afrique est presque
entièrement sous domination arabe
et converti à l'islam

700-1200
Période de commerce florissant
à l'emplacement du Ghana actuel

1235
Naissance du royaume du Mali

v. 1300
Le Grand Zimbabwe, capitale
fortifiée d'un empire qui tire
sa richesse du commerce

v. 1510
Premiers esclaves africains
conduits en Amérique du Nord

La croyance en un dieu suprême est répandue sur tout le continent africain. Mais cet être suprême est connu sous plus de deux cents noms différents, selon les langues : **AMMA** au Mali, **UMDALI** chez les Tembus d'Afrique du Sud…

Ce dieu est également le dieu créateur mais, dans presque toute l'Afrique subsaharienne non convertie à l'islam ou au christianisme, il ne se soucie pas directement des affaires humaines et garde ses distances envers les hommes. Les prières et les rites d'adoration s'adressent plutôt aux divinités inférieures et aux esprits, dont chacun possède une fonction distincte, comme le grand ancêtre mythique, par exemple **TSUI'GOAB** en Namibie, ou les ancêtres réels magnifiés au fil des récits. Le malheur est souvent interprété comme un signe de mécontentement de l'ancêtre, qui doit être apaisé.

LES ORISHAS

Chez les Yoroubas, peuple du Nigeria, les Orishas forment un groupe de divinités inférieures. Selon les mythes, leur nombre varie de 200 à 600, il peut même aller jusqu'à 1 700 ! Ils commandent aux phénomènes naturels, comme le tonnerre, et apportent leur aide aux chasseurs, aux devins et aux guérisseurs.

LES PREMIERS HOMMES

Dans la plupart des mythes de création, les premiers hommes vivaient aux côtés du dieu suprême. Puis, l'ayant offensé, ils furent bannis sur la terre. Un mythe malgache raconte que le dieu créateur avait envoyé son fils en mission sur la terre. Il y faisait si chaud que celui-ci se réfugia dans une grotte pour trouver un peu de fraîcheur. Ne voyant pas revenir son fils, le dieu lança des hommes à sa recherche. Comme ils ne trouvaient pas le jeune homme, certains d'entre eux furent renvoyés de la terre au ciel pour demander conseil. Ils ne reparurent jamais : ce furent les premiers morts.

Selon un mythe massaï, le dieu suprême prit le premier bétail au pygmée Dorobo pour en faire don aux Massaïs, installés sur les hautes terres du Kenya. Il fit descendre les troupeaux sur terre au moyen d'une longue lanière de cuir. Alors, Dorobo s'empara de son arc et, d'une flèche, coupa la lanière, rompant ainsi le lien entre le ciel et la terre.

Pour le peuple krachi, la mort est un géant auquel une longue chevelure tient lieu de vêtement. Un jour où il était endormi, on voulut le tuer en mettant le feu à ses cheveux. Mais un garçon trop curieux versa de la poudre de vie dans l'un de ses yeux. Depuis ce jour, une personne meurt chaque fois que le géant cligne de l'œil.

Ancêtres héroïques et divinités locales figurent dans nombre de récits, qui se transmettent non seulement à titre d'exemples ou de modèles à suivre, mais également pour nourrir la fierté d'un peuple. Les rois et les chefs des anciens temps qui ont accompli de hauts faits par la force ou la ruse peuvent devenir des divinités inférieures. Au Nigeria, par exemple, **SHANGO** est l'un de ces rois divinisés. En Ouganda, **KINTU** en est un autre, qui a surmonté cinq épreuves surhumaines en vue de conquérir la fille du Roi des cieux.

LE SÉJOUR DES ESPRITS

Chez tous les peuples d'Afrique, les morts deviennent esprits et continuent ainsi d'exister. Pour certains, comme les Zoulous, les esprits résident au ciel, pour d'autres, comme les Ibos du Nigeria, dans un royaume souterrain. Les Bakongos, à

l'ouest du Zaïre, considèrent que l'univers se divise en un monde supérieur, séjour des vivants, et un monde souterrain, celui des morts. Bien que ces deux mondes soient semblables, chacun ayant ses collines, ses villages et ses cours d'eau, le monde souterrain

Les Mendés voient dans ces têtes de pierre antiques qu'ils appellent « nomoli », les dieux du riz qui protègent leurs récoltes.

a pour particularité d'être tourné vers le bas.

Enfin, certains mythes s'attachent à expliquer les mystères de la nature et de la vie, par exemple comment la mort est venue en ce monde. En effet, de nombreux récits montrent qu'elle n'existait pas au commencement. La mort est envoyée aux hommes lorsque l'un d'entre eux transgresse les lois, se montre paresseux

LE FEU

Dans la mythologie africaine, comme dans de nombreuses régions du monde, les hommes se sont approprié le feu en le dérobant. Un mythe du peuple Fang raconte qu'ils l'ont volé au dieu suprême, provoquant la mort de la déesse-mère. Le dieu décida alors que tous les hommes seraient mortels.

ou ingrat. C'est parfois un animal qui apporte la mort. Dans un mythe du Soudan, ce rôle est attribué à l'hyène et à un petit oiseau, le tisserin. Chez les Louhyas, peuple du Kenya, un mythe explique la naissance du jour et de la nuit. Le dieu suprême, Wele, créa d'abord les cieux, puis soleil et lune, pour que ceux-ci l'aident par leur lumière à façonner le reste de l'univers. Malheureusement, les deux astres se battirent immédiatement. La lune frappa le soleil et le jeta hors des cieux. En retour, le soleil couvrit la lune de boue. Wele, pour en terminer, décida que l'un et l'autre ne paraîtraient jamais ensemble dans le ciel : l'un brillerait le jour, l'autre la nuit.

LES PHÉNOMÈNES NATURELS

En Afrique, les phénomènes naturels semblent parfois démesurément effroyables. Le tonnerre et les éclairs sont ainsi souvent associés à un personnage redoutable comme, chez les Yoroubas, le dieu

L'ARC-EN-CIEL

Chez les Kikouyous, peuple du Kenya, un mythe présente l'arc-en-ciel comme le reflet d'un monstre redoutable qui séjourne dans les eaux. A la faveur de la nuit, ce monstre vient sur la terre ferme dévorer les animaux, et parfois les hommes.

Un mythe ougandais raconte comment Kintu, ancêtre des Bagandas, fit croire au Roi du ciel qu'il avait mangé autant que cent hommes : profitant d'un trou creusé dans le sol, il y avait en fait caché des monceaux de nourriture...

de l'orage Shango. La sécheresse est une terrible catastrophe qui décime les troupeaux et anéantit les récoltes — d'où l'importance des personnages qui commandent à la pluie, comme **MODJADJI**, reine de la pluie chez les Lovedus. La pluie est un thème qui revient dans les mythes de toutes les régions d'Afrique. Au Kenya, les Louhyas racontent comment une vieille femme découvrit la façon de se faire obéir de la pluie. Mais le tonnerre et la foudre accompagnant sa démonstration,

Le lièvre, animal rusé et populaire, apparaît fréquemment dans l'art africain, comme sur ce masque yorouba (Nigeria).

les hommes eurent tellement peur qu'ils chassèrent la vieille femme. Celle-ci révéla le secret de son art à l'homme avec qui elle vivait. Dès lors, profitant de son savoir, ce dernier exigea des autres hommes une rétribution. Plus généralement, on peut toujours se prémunir

LUNE ET SOLEIL

En Afrique occidentale, on raconte que le soleil et la lune sont époux. Tous deux se disputent sans cesse, et le soleil se lance à la poursuite de la lune pour la dévorer. Quand survient une éclipse de lune, les hommes frappent sur leurs tambours et poussent de grands cris pour que le soleil lui rende sa liberté.

contre les catastrophes naturelles (inondations, épidémies frappant hommes ou animaux, attaques dévastatrices de criquets) si l'on sait consentir les offrandes et les sacrifices appropriés. Les croyances africaines laissent peu de place au hasard...

GÉNIES ET ANIMAUX

Les génies sont des êtres souvent malicieux, qui revêtent divers aspects, humains ou animaux, parfois les deux. Que ce soit pour les aider ou pour les contrarier, ils prennent part aux affaires des hommes et sont très présents dans leur vie quotidienne. L'un des génies les plus connus est **ESHU** qui, chez les Yoroubas, aime à provoquer la discorde. C'est aussi lui qui décide de la part de hasard accompagnant la vie de chacun. C'est à cause de lui encore que le dieu suprême s'est retiré du monde. Mais comme Eshu sait parler toutes

les langues, il est devenu le messager des dieux auprès des hommes, de même qu'il transmet les offrandes dans l'autre sens. Dans la tradition africaine, les animaux se comportent à la manière des hommes et parlent leur langage. Le héros est souvent un animal de petite taille, qui l'emporte sur un animal plus grand et plus fort que lui. La **TORTUE** se rencontre fréquemment dans ces récits, mais aussi l'araignée (**ANANSE** chez les Achantis) et le **LIÈVRE**. Les aventures de Frère Lapin (*Brer Rabbit*), héros du folklore américain, ne sont autres que celles du lièvre, apportées dans le Nouveau Monde par les esclaves africains. Dans certains mythes, les animaux prennent part à la création du monde ou apportent aux hommes la civilisation. Chez les Sans, peuple du sud-ouest de l'Afrique, la tradition attribue à la mante religieuse

l'invention du langage. C'est encore elle qui a volé le feu à l'autruche pour le donner aux hommes.

Les montagnes, les cours d'eau, la terre ou encore les arbres, possèdent également une âme. Au Kenya, les Kikouyous pensent ainsi que les baobabs abritent des familles entières d'esprits. Il n'est pas étonnant que la magie soit une pratique très répandue. Les esprits sont parfois maléfiques : certains hommes ou certaines femmes ont le pouvoir de se transporter dans les airs, la nuit, pour aller sucer le sang ou prendre la vie. Seuls les sorciers guérisseurs possèdent la science propre à chasser ces esprits maléfiques.

L'araignée a attiré le lion dans un traquenard puis l'a ligoté à un arbre. Elle savoure sa vengeance.

Tous les animaux qui peuplent la terre ont été dérobés à Amma par les ancêtres du peuple dogon. Un couple de chaque espèce, ainsi qu'un pied de chaque plante existant aux cieux, furent placés à l'intérieur d'une gigantesque pyramide, laquelle descendit sur terre en glissant sur un arc-en-ciel. Le feu fut apporté à l'occasion du même voyage par un fil attaché d'un côté à la pyramide, et de l'autre à une flèche lancée sur le soleil.

AMMA Dieu suprême des Dogons, au Mali. Il a créé le soleil, la lune et les étoiles. Se sentant seul, Amma a épousé la terre. De cette union sont nées des divinités jumelles, l'eau et la lumière, forces vitales du monde. Amma a ensuite créé le premier homme et la première femme, qui ont engendré à leur tour quatre fois des jumeaux, ancêtres du peuple dogon. La gémellité est un thème cher à la mythologie africaine, particulièrement en Afrique occidentale.

●

ANANSE Chez les Achantis, au Ghana, de nombreux récits ont pour héroïne Ananse, une araignée qui agit et parle comme les hommes. L'une de ces histoires relate la façon dont elle a capturé la fée Mboatia en enduisant une poupée de latex gluant.

●

DAN AYIDO HWEDO Serpent python géant, premier être créé par Mawa, dieu suprême des Fons, en Afrique occidentale. Ensemble, Mawa et Dan Ayido Hwedo créent la terre mais, craignant qu'elle ne sombre et se noie sous le poids des montagnes, des arbres et des grands animaux, le dieu suprême demande au grand python d'encercler la terre et de l'enserrer en tenant fermement dans sa gueule l'extrémité de sa queue. Pour les Fons, de même que pour d'autres peuples, le serpent qui vient de muer symbolise la naissance; quand il est représenté enroulé sur lui-même, tenant sa queue dans la gueule, il symbolise l'immortalité ou l'éternité.

●

ESHU Malicieux messager des dieux chez les Yoroubas, au sud du Nigeria. Eshu le malin porte toujours des chapelets de coquillages (des cauris) qui lui servent à prédire l'avenir. Lui-même imprévisible, il est parfois violent et se plaît à répandre de fausses nouvelles. Il n'écoute qu'**OLODUMARE**, dieu suprême des Yoroubas. Au Bénin, il s'appelle Legba.

KINTU C'est le premier homme et le grand ancêtre du peuple baganda, en Ouganda. Kintu tomba amoureux de Nambi, fille de Gulu, Roi du ciel. Celui-ci lui imposa cinq épreuves surhumaines dont Kintu vint à bout. L'une des épreuves était celle-ci : Gulu avait placé la vache de Kintu parmi un immense troupeau de vaches toutes semblables et lui demanda de la retrouver. Kintu aurait échoué si une abeille ne s'était prise de pitié pour lui. Elle lui conseilla de faire défiler toutes les bêtes une à une, lui assurant que la sienne aurait une abeille bourdonnant autour de ses cornes. Alors Gulu accorda sa fille à Kintu et tous deux descendirent vivre sur terre, emportant des animaux et des fruits : quelques vaches, un mouton, une chèvre, une poule, une banane et une igname.

●

LEZA Dieu suprême de plusieurs peuples d'Afrique centrale. C'est une divinité très ancienne, et lorsque le grand âge fait larmoyer ses yeux, ses pleurs deviennent pluie. Chez les Tongas, un récit raconte qu'il décida un jour de faire périr toute la famille d'une jeune femme. La malheureuse essaya de trouver le chemin du ciel pour demander à Leza la raison d'une telle sentence. Elle se confectionna une échelle, mais celle-ci tomba en miettes. Elle chercha la route qui menait au ciel, mais ne put la trouver. Elle demanda son chemin à ceux qu'elle rencontrait, mais tous lui répondirent

que les hommes étaient destinés à souffrir, et qu'elle ne pouvait échapper au sort commun.

●

LIÈVRE Ses aventures sont connues dans presque toutes les régions d'Afrique. Un récit d'Afrique australe explique comment les hommes perdirent par sa faute l'occasion de devenir immortels. La lune l'avait envoyé porter un message à l'intention des premiers hommes : « De même que la lune meurt et renaît, de même il en sera pour vous. » Mais le lièvre leur dit : « De même que la lune meurt et périt, de même il en sera pour vous. » Lorsque la lune découvrit comment il s'était acquitté de sa mission, elle lui donna un coup de bâton sur le museau, et depuis ce temps le museau du lièvre est fendu.

●

LUNE Les Sans, dans l'ouest de la Namibie, établissent un lien entre les phases de la lune et la venue de la mort. Dans l'ouest de l'Afrique, un autre récit raconte comment le soleil et la lune invitèrent un jour l'eau à leur rendre visite. Leur maison ne tarda pas à être submergée et ils n'eurent alors d'autre ressource que de se réfugier au ciel.

●

MODJADJI (ou MUJAJI) Reine de la pluie chez les Lovedus, peuple d'Afrique du Sud vivant dans le Transvaal. Ils font appel à Modjadji en période de sécheresse. Elle use alors de charmes secrets et intercède auprès des ancêtres pour faire venir la pluie et rendre la santé à la terre.

NKULUNKULU Dieu suprême du peuple zoulou, en Afrique du Sud. Créateur du monde, il commande aux mouvements du soleil et de la lune, au vent et à la pluie, à la foudre et au tonnerre. C'est lui qui est responsable des maladies, des inondations et de la sécheresse. C'est à lui aussi que l'on doit la fécondité des troupeaux et l'abondance des récoltes, mais il ne se mêle pas autrement des affaires des hommes.

●

NYAMÉ Dieu suprême des Achantis, au Ghana. Sous différents aspects, il règne sur le ciel, la terre et les enfers. Les coups de tonnerre étant ses coups de hache, les Achantis placent des haches de pierre dans l'Arbre de Nyamé, pilier à trois branches planté près de l'entrée de certaines demeures et au pied duquel un pot contient des offrandes. Nyamé vient en aide à ceux qui sont dans la détresse. Il a fait don aux Achantis du Trône d'Or sacré, dépositaire de leur âme, de leur santé et de leur prospérité. Ce trône se trouve toujours au palais royal de Kumasi. Descendu des cieux par un magicien légendaire du nom d'Anotochi, il est utilisé lors des occasions solennelles et porté en procession sous un somptueux parasol. Nul n'a le droit de s'y asseoir, mais à un moment précis de la cérémonie, le roi fait mine d'y poser son séant.

●

ODUDUWA Premier roi du peuple yorouba, dans le sud du Nigeria. **OLODUMARE** avait confié le soin de créer le monde à Orishanla, chef des divinités inférieures, appelé à le représenter sur la terre. Mais Orishanla s'assoupit après avoir bu du vin de palme et laissa sa tâche inachevée. Le voyant endormi, Oduduwa se chargea d'achever la création et prit la place destinée à Orishanla. Il devint maître du territoire et fondateur du peuple yorouba.

●

OGO L'un des premiers êtres créés par **AMMA**, dans la mythologie dogon. Amma tardant à lui donner une femme, Ogo s'impatienta et viola la Terre-Mère. Le chaos s'ensuivit ; Amma punit Ogo en le transformant en chacal solitaire et malfaisant. C'est pourquoi il incombe désormais aux hommes de rétablir l'ordre du monde en honorant les dieux.

Par ruse, le lièvre engagea un jour l'éléphant et l'hippopotame dans un tir à la corde acharné, en faisant croire à chacun des géants que c'était lui qui tenait l'autre bout de la corde.

Un prêtre yorouba fait passer des noix de palme d'une main à l'autre avant de les jeter dans un récipient de bois sculpté. D'après la disposition des noix, le prêtre interprétera l'oracle d'Orunmila, le dieu qui prédit l'avenir, également connu sous le nom de Fa ou Ifa, mot qui, chez les Yoroubas, signifie « divination ».

OGUN Dieu du fer chez les Yoroubas, et fils aîné d'**ODUDUWA**. Il protège ceux qui utilisent le fer, par exemple les chasseurs et les maréchaux-ferrants. Ogun est à la fois respecté et craint. Quand on prend son nom à témoin pour prononcer un serment, en touchant de la langue la lame d'un couteau ou tout autre objet de fer, on est lié à son tour par un serment indéfectible. Ogun protège de nos jours les mécaniciens, les conducteurs de trains... et les automobilistes.

●

OLODUMARE Dieu suprême des Yoroubas. Au commencement, seuls existaient le ciel et la mer. Olodumare créa sept princes, qui devinrent les premiers rois couronnés des Yoroubas et, d'une boule de glaise, il façonna la terre. Sa suprématie fut un jour mise en cause par Olokun, dieu de l'eau et des richesses. Olodumare lui envoya son messager, le caméléon, pour relever le défi. Olokun tenta d'impressionner son adversaire en revêtant une succession de robes plus somptueuses les unes que les autres, mais chaque robe fut égalée en splendeur par le caméléon. Humilié par ce simple messager, Olokun renonça à son défi.

●

ORUNMILA Chez les Yoroubas, c'est le dieu de la divination, l'art de prédire l'avenir. Révélateur des secrets de l'univers, il fut envoyé sur la terre par **OLODUMARE** pour enseigner aux hommes les arts et la médecine. Orunmila parle toutes les langues du monde et, pour consulter ses oracles, les prêtres jettent à terre ou dans un plateau des noix de palme dont ils interprètent ensuite la disposition.

●

OSANYIN Dieu des plantes médicinales et des herbes utilisées lors des cérémonies yorouba. Il est étroitement lié à **ORUNIMILA**, dieu de la divination, car on consulte les devins pour connaître les causes d'une maladie ou les raisons d'un malheur. La tradition dit qu'Orunmila a attribué un nom à chaque plante, tandis qu'Osanyin en connaît les propriétés et les vertus.

●

OSHOSSI Dieu des chasseurs chez les Yoroubas. Ce dieu tutélaire revêt une importance primordiale, car il veille à ce que les chasseurs rapportent un gibier abondant. Leur rôle ne se limite pas seulement à la chasse : comme ils passent une grande partie de leur temps dans la forêt, ils découvrent en quels lieux poussent les plantes médicinales, où se trouvent les bonnes terres et les emplacements favorables à l'implantation d'un nouveau village. Armés, les chasseurs sont aussi garants de l'ordre et de la paix.

●

SHANGO Troisième roi des Yoroubas, fils légendaire du dieu Oranyan. Souverain farouche et crachant le feu, il s'enfuit un jour dans la forêt lorsque ses ennemis vinrent le défier. On raconte qu'ensuite il monta au ciel et devint dieu du tonnerre et de la foudre. Shango déteste les menteurs et les voleurs. Lorsque quelqu'un est frappé par la foudre, c'est une preuve de culpabilité et une manifestation de la colère du dieu. La hache double, qui représente le tonnerre, est l'attribut de Shango ; on la brandit quand on danse pour l'honorer.

TORTUE Sa lenteur est légendaire, et elle fait partie des petits animaux qui, dans les récits, l'emportent sur d'autres plus grands ou mieux dotés. Le plus célèbre de ces récits l'oppose au **LIÈVRE** dans une course folle. Elle la gagne, avec l'aide de sa famille, qu'elle a pris soin de placer sur tout le parcours. Le malheureux lièvre a beau courir de toutes ses forces, il aperçoit à chaque instant la tortue qui chemine devant lui.

•

TSUI'GOAB Dieu de la pluie et héros chez les Khois d'Afrique australe. Il a combattu Gaunab, qui personnifie sans doute la mort, et finit par la vaincre au terme d'une longue lutte. Au moment de mourir, Gaunab, dans un dernier sursaut, a frappé Tsui'goab au genou — d'où son nom, qui signifie « genou blessé ». Tsui'goab séjourne à présent dans les cieux, et on lui adresse des prières pour qu'il envoie la pluie qui arrose les récoltes et abreuve les troupeaux.

•

UMDALI Dieu suprême chez les Tembus d'Afrique australe. En période de sécheresse ou d'épidémie, c'est lui que l'on invoque. On commence par s'abstenir de toute mauvaise action pendant une semaine, car on ne peut s'adresser à Umdali qu'après s'être purifié. Ensuite se déroule une cérémonie rituelle. Ceux qui y prennent part consomment des aliments consacrés (maïs et bière), puis chantent une prière avant de faire des offrandes au dieu.

•

WOOT Magicien appelé aussi Woto, il est le père primordial du peuple bakouba, au Zaïre. Premier-né de deux jumeaux, il a pour parents un couple de vieillards auxquels, un jour, un étranger descendu du ciel avait rendu visite en se présentant comme le Seigneur de toutes choses.

•

YEMANJA Déesse de l'élément liquide chez les Yoroubas. Son nom signifie « mère dont les enfants sont des poissons ». Fille d'Olokun, dieu de la mer, elle épousa d'abord **ORUNIMILA**, puis Olofin, l'un des rois yorouba. Elle eut dix enfants de différents pères. Parmi ceux-ci, l'arc-en-ciel et le dieu du tonnerre **SHANGO**.

Ce costume orné de coquillages et de perles représente le dieu Woot ; seuls peuvent le revêtir les hommes de sang royal. Masque et costume sont portés chez les Bakoubas lors des cérémonies en l'honneur du dieu.

LES PAYS MÉDITERRANÉENS

Les premières civilisations méditerranéennes virent le jour au Proche-Orient, et notamment en Égypte, il y a plusieurs millénaires. Pendant des siècles, ces peuples voisins se livrèrent à des échanges commerciaux tout en luttant par les armes. Au IVe siècle av. J.-C., le roi de Macédoine Alexandre le Grand, maître de la Grèce, conquit l'Égypte et la Perse. La culture grecque s'établit au sein d'un immense empire et la langue grecque devint celle de tout le Proche-Orient. Les échanges incessants entre cultures et civilisations permirent aux mythes de se propager. Certains historiens pensent que les Grecs empruntèrent leurs récits de création aux pays conquis du Proche-Orient.

Quand, à la fin du Ier siècle av. J.-C., tout le pourtour méditerranéen fut sous domination romaine, les Romains voulurent que leurs dieux soient vénérés par tous les peuples soumis, tout en laissant subsister localement les pratiques religieuses.

Mais tous ces échanges ne doivent pas occulter la grande diversité des mythologies, liées aux différences de contexte social et religieux, elles-mêmes dépendantes de l'évolution politique de chaque région. Ainsi, lorsque Athènes devint une démocratie, au Ve siècle av. J.-C., de simples mortels apparurent dans les mythes. En revanche, dans les puissantes monarchies du Proche-Orient, les mythes restèrent centrés sur les dieux et les rois.

Les ruines du temple d'Apollon, à Delphes, dont l'oracle faisait connaître la volonté des dieux.

→ Route suivie par Jason et les Argonautes

➡ Route empruntée par Alexandre le Grand

ROME
● STATUE DE LARE, DIEU DU FOYER.

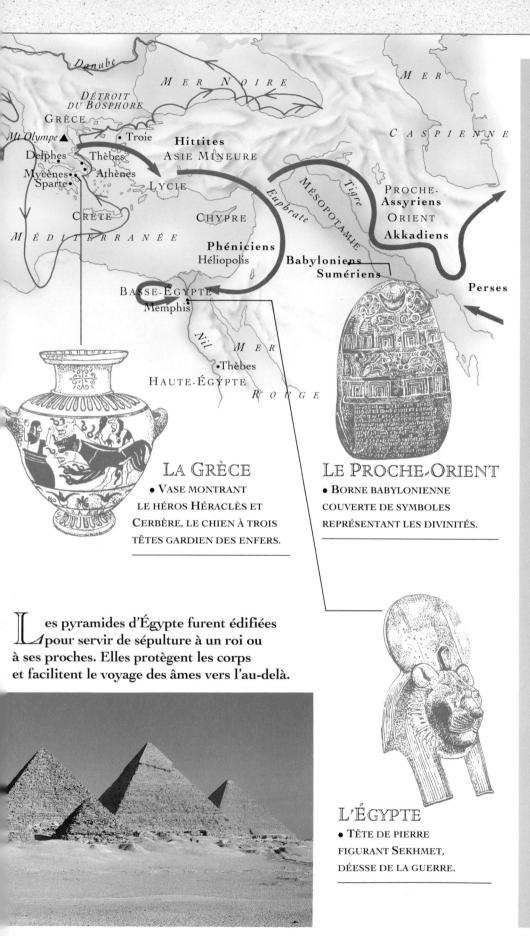

LA GRÈCE

• VASE MONTRANT
LE HÉROS HÉRACLÈS ET
CERBÈRE, LE CHIEN À TROIS
TÊTES GARDIEN DES ENFERS.

LE PROCHE-ORIENT

• BORNE BABYLONIENNE
COUVERTE DE SYMBOLES
REPRÉSENTANT LES DIVINITÉS.

Les pyramides d'Égypte furent édifiées
pour servir de sépulture à un roi ou
à ses proches. Elles protègent les corps
et facilitent le voyage des âmes vers l'au-delà.

L'ÉGYPTE

• TÊTE DE PIERRE
FIGURANT SEKHMET,
DÉESSE DE LA GUERRE.

CHRONOLOGIE

v. 3000 av. J.-C.
Haute- et Basse-Égypte sont
réunies sous l'autorité d'un seul
souverain

2600-1850
Cités-États sumériennes

1925 Les Hittites
conquièrent Babylone

1600-1100
En Grèce, apogée de la civilisation
mycénienne

v. 1550 Début du Nouvel
Empire : l'Égypte devient
une puissance majeure

v. 1250 Début de la guerre
de Troie, célébrée par le poète
Homère au IXᵉ siècle av. J.-C.

1116 Conquête de Babylone
par les Assyriens

900-750 Développement
des cités-États grecques

753 Fondation de Rome

669 Conquête de l'Égypte
par les Assyriens

625-539 Empire néo-babylonien

621 Premières lois écrites
à Athènes

539-331 L'Empire perse
domine la Mésopotamie

509 Les rois étrusques
sont expulsés de Rome. La noblesse
romaine fonde une République

479 Les Grecs mettent
les Perses en déroute à l'issue des
guerres médiques

334-331 Alexandre le Grand
conquiert l'Empire perse

241 Rome établit son hégémonie
sur l'Italie

v. 146 La Grèce est conquise
par les Romains

31 Cléopâtre, dernière reine
d'Égypte, vaincue par les Romains
à la bataille d'Actium

•

235 ap. J.-C. Rome :
début des invasions barbares,
qui durent un demi-siècle

380 La religion chrétienne
gagne tout l'Empire romain

LE PROCHE-ORIENT

Au cœur de l'Asie occidentale, entre les vallées du Tigre et de l'Euphrate, la Mésopotamie fut pendant cinq millénaires l'un des plus brillants foyers de civilisation. A partir du IVᵉ millénaire, elle fut occupée par une succession de peuples.

Les premiers hommes qui s'établirent en Mésopotamie furent les Akkadiens et les Sumériens. Ils construisirent des villes et fondèrent leurs religions sur une tradition mythologique riche et foisonnante. Vinrent ensuite les Assyriens, qui s'installèrent dans le Nord, puis les Babyloniens, dans le Sud. Ces civilisations nouvelles conservèrent les mythes anciens. Leurs voisins, parmi lesquels les Phéniciens et les Perses, avaient eux aussi adopté bon nombre de mythes mésopotamiens.

DES DIEUX REDOUTABLES

Les civilisations mésopotamiennes étaient guerrières de tradition, aussi leur mythologie abondait-elle en dieux puissants terrassant les divinités des peuples ennemis et infligeant à ceux-ci de terribles châtiments. Face à ces dieux redoutables, les déesses, rarement représentées dans les œuvres d'art, occupent une place plus discrète. Quant aux héros, ils prennent part à d'incessants combats contre leurs rivaux et ennemis ou contre des monstres.

Ce génie ailé tient dans une main un récipient, dans l'autre une pomme de pin, objets associés aux rites de purification. Des images de génies étaient placées dans les maisons pour écarter démons et maladies.

LA ZIGGOURAT

En Mésopotamie, dans la plupart des cités, on construisit des édifices composés de terrasses en briques superposées. Ces *ziggourats* étaient surmontées d'un petit temple consacré au dieu de la cité, dans lequel le roi, également grand prêtre, célébrait les cérémonies religieuses et accomplissait des sacrifices.

Il existe un lien étroit entre le roi et les dieux qui le protègent. Dans l'art perse, le dieu **AHURA MAZDA** est toujours représenté les ailes déployées en signe de bienveillance. De son côté, le roi s'assure les bonnes grâces des dieux par des offrandes. Dans ces représentations, l'un et l'autre sont de la même taille, donc d'égale importance, tandis que les personnages appartenant aux autres rangs de la société sont plus petits. Le palais royal était placé non seulement sous la protection des dieux, mais aussi sous celle de farouches génies ailés.

LES EAUX MÊLÉES

L'eau étant rare en Mésopotamie, l'irrigation joue un rôle vital dans l'agriculture. Le récit de la création — le climat n'y est sans doute pas étranger —, attribue les origines de toutes choses à l'eau douce et à l'eau salée. Des eaux mêlées sortirent deux serpents monstrueux, qui donnèrent naissance à Anshar, le ciel, et à Kishar, la terre. Puis ciel et terre engendrèrent à leur tour les dieux, qui s'affrontèrent pour obtenir la domination de l'univers. Lorsque les hommes furent enfin créés, ils ne tardèrent pas à offenser les dieux, et le déluge fut leur châtiment. Seul **OUT-NAPISHTIM** fut prévenu suffisamment tôt pour construire un bateau dans lequel il pût embarquer famille et animaux. La pluie cessa au bout de sept jours et le bateau s'échoua au sommet d'une montagne. Out-Napishtim reçut alors des dieux le don d'immortalité. Les mythes du Proche-Orient se déplacèrent vers l'ouest au fur et à mesure que les Phéniciens

Le dieu perse Ahura Mazda, l'esprit du bien, combat en permanence Angra Mainyou, l'esprit du mal. Ce mythe illustre la croyance des Perses en deux forces antagonistes, le bien et le mal, qui ne cessent de lutter l'une contre l'autre.

établissaient leurs comptoirs et leurs colonies sur le pourtour de la Méditerranée. L'expansion de l'Empire perse contribua également à la survie des mythes mésopotamiens, sur lesquels les Perses greffèrent de nouvelles croyances.

Dans une scène de *L'Épopée de Gilgamesh*, le héros combat le taureau céleste envoyé par Ishtar pour l'anéantir.

GILGAMESH

Le mythe mésopotamien le plus célèbre est *L'Épopée de Gilgamesh*, qui relate les aventures du roi d'Ourouk dans sa quête de l'immortalité. Les douze tablettes d'argile sur lesquelles sont gravés ces poèmes épiques furent découvertes au XIXe siècle par des archéologues.

Baal, jeune dieu de l'orage, lève sa massue pour faire retentir le tonnerre. Dans l'autre main, il tient la lance qui provoquera la foudre.

Sculpture phénicienne représentant Astarté, déesse de la fécondité.

ADAPA Dans la mythologie babylonienne, c'est le prêtre avisé du dieu **EA**. Alors qu'il aimait à pêcher sur l'Euphrate, un violent vent du sud fit un jour chavirer sa barque. Adapa maudit le dieu-oiseau qui commandait au vent et lui brisa les ailes. **ANOU**, le dieu suprême, convoqua alors Adapa pour lui demander des explications. Ea mit en garde Adapa, l'avisant qu'on lui servirait l'eau et le pain de mort, et qu'il lui faudrait les refuser. Mais Anou, séduit par la sagesse d'Adapa, lui offrit l'eau et le pain d'immortalité. Ne le sachant pas, Adapa refusa, privant ainsi l'humanité de la vie éternelle.

•

AHURA MAZDA Puissant dieu perse et esprit du bien, perpétuellement en lutte contre le dieu Angra Mainyou, esprit du mal. Ahura Mazda est créateur de toutes choses bénéfiques, comme le feu et les fleurs, tandis que Angra Mainyou les altère en y ajoutant la fumée et les épines. A l'issue de leur lutte, Ahura Mazda l'emportera et tout le mal sera évacué du monde dans un torrent de métal en fusion.

•

ANAT Sœur de **BAAL**, également appelée Astarté. Déesse phénicienne de la fécondité et de la fertilité, même si elle amena un jour la sécheresse sur la terre. Anat voulait à tout prix s'emparer d'un arc aux vertus magiques,

que possédait un roi célèbre. Elle offrit à celui-ci de grandes richesses et même l'immortalité, mais le roi ne voulut pas céder. Dans un accès de colère, la déesse le tua. L'arc disparut dans la mer. La pluie refusa alors de tomber et la terre fut frappée de stérilité jusqu'à ce que la vie fût rendue au roi. En d'autres circonstances, Anat sut faire preuve de bravoure. Ainsi, lorsque Baal fut tué par **MÔT**, elle descendit aux enfers pour demander que la vie lui soit rendue. Môt refusa et, dans sa fureur, Anat le fit périr. Baal revint alors à la vie et retourna au ciel. Mais Môt à son tour ressuscita et, depuis lors, l'histoire se répète tous les ans, créant le cycle des saisons, la stérilité de l'hiver et le renouveau au printemps.

•

ANOU Dieu suprême des Babyloniens. Il vit à l'écart des mortels et des autres dieux sur le plus haut sommet du ciel, où il consomme le pain et l'eau de la vie éternelle. Mais Anou était si distant et inaccessible, qu'il fut par la suite remplacé par son fils **ENLIL**.

•

APSOU (voir **TIAMAT**)

•

ASSOUR Dieu de la guerre chez les Assyriens et époux d'**ISHTAR**. Il apparaît vêtu en archer à l'intérieur d'un disque ailé. Lorsque l'hégémonie assyrienne s'affirma, Assour prit la place du dieu babylonien **MARDOUK** pour protéger l'univers contre la menace du chaos.

•

ASTARTÉ (voir **ANAT**)

•

BAAL Fils du dieu **EL**, il est le dieu de l'orage, mais aussi de la pluie qui arrose les récoltes. De sa massue, il fit périr Yamm, dieu de la mer, pour permettre aux hommes de naviguer sur les mers. Mais sa victoire l'enfla d'orgueil et il se montra irrespectueux envers **MÔT**. Celui-ci convoqua Baal aux enfers et lui fit manger la boue de la mort. La terre, menacée de devenir désertique, dut son salut à l'intervention d'**ANAT**, qui sauva Baal des enfers et le rendit à la vie. Revenu au ciel, le dieu rendit sa fertilité à la terre.

•

EA (ou **ENKI**) Dieu babylonien (ou sumérien) de la sagesse. Son nom signifie « d'une grande intelligence ». Patron des arts, il donna aux hommes la faculté de raisonner. Ea s'opposa constamment à son père **APSOU** pour s'emparer de son pouvoir et finit par prendre sa place dans le domaine de l'eau douce, sous la terre.

●

EL Dieu suprême et omniscient chez les Phéniciens, il est le créateur de l'univers et on le nomme « père du temps ». Comme le dieu babylonien **ANOU**, il reste à l'écart des mortels et des autres dieux.

●

ENKI (voir **EA**)

●

ENKIDOU Compagnon héroïque de **GILGAMESH**. Il vivait comme un animal sauvage dans les collines voisines d'Ourouk, cité dont Gilgamesh était le roi. Un jour, ce dernier lui envoya une femme pour le séduire et le faire venir dans sa ville. Enkidou et Gilgamesh se mesurèrent d'abord à la lutte, puis devinrent amis et vécurent ensemble d'innombrables aventures.

●

ENLIL Dieu des airs chez les Sumériens et les Babyloniens. C'est lui qui apporte le beau ou le mauvais temps. Il est l'un des dieux créateurs mais, lassé du bruit des hommes devenus trop nombreux, il leur envoya le déluge pour les anéantir. Le dieu **EA** eut le temps d'avertir une famille, qui put se construire un bateau et échapper ainsi au châtiment.

●

ERESHKIGAL Déesse babylonienne des enfers, elle fut arrachée de son trône par le dieu de la guerre **NERGAL**. Mais, au lieu de se battre, ils s'éprirent l'un de l'autre, s'épousèrent et associèrent leurs pouvoirs.

●

ETANA Homme choisi par les dieux comme premier roi de Sumer, Etana demeurait sans enfant et priait chaque jour le dieu **SHAMASH**

Un jour, Etana sauva un aigle d'un puits profond, dans lequel il avait été précipité, les ailes brisées, pour avoir mangé les petits d'un serpent. Etana nourrit l'aigle et le soigna jusqu'à ce qu'il pût voler à nouveau. Pour le remercier, l'aigle l'emmena à la recherche de la plante qui lui permettrait d'avoir des enfants.

Ishtar, déesse de la sensualité et de l'amour, était souvent représentée nue ou demi-nue. Egalement déesse de la guerre, elle apparaissait sous les traits d'un guerrier redoutable, qui inspirait même de la terreur aux dieux. On la représentait alors armée de pied en cap et accompagnée d'un lion, symbole de sa férocité.

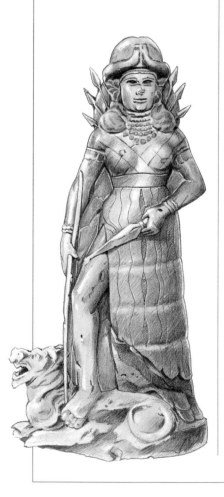

pour qu'il lui en donnât un. Le dieu lui fit rencontrer un aigle, qui l'emmena au ciel sur son dos, à la recherche de la plante de naissance.

●

GILGAMESH Roi d'Ourouk, héros babylonien de grand renom. Cet homme dont la force et le courage sont sans pareils, connut d'innombrables aventures avec son ami **ENKIDOU**. Sa gloire devint telle que la déesse **ISHTAR** voulut le prendre pour amant, ce que Gilgamesh refusa. Pour le punir, **ANOU** envoya un taureau combattre Gilgamesh et Enkidou, sans succès. Alors, le dieu frappa Enkidou d'une maladie mortelle. Gilgamesh, effrayé par la découverte de la mort, partit en quête du secret de l'immortalité. Il décida d'aller voir l'ancêtre héroïque et immortel **OUT-NAPISHTIM**, mais n'ayant pu obtenir ce qu'il cherchait, il dut se résoudre à attendre la mort derrière les hautes murailles d'Ourouk.

●

HADAD Dieu des orages et des pluies, chez les Assyriens, et fils d'**ANOU**. Hadad frappait ses ennemis en leur envoyant des pluies torrentielles qui dévastaient les maisons et les récoltes. A ceux qui le vénéraient, il apportait richesse et prospérité en inondant chaque année les plaines pour rendre les terres fertiles.

●

INANNA Déesse sumérienne de l'amour et de la guerre, reine du ciel. Inanna voulut un jour mesurer ses pouvoirs à ceux de la déesse des morts, **ERESHKIGAL**. Dépouillée de ses atours à mesure qu'elle franchissait chacune des sept portes des enfers, Inanna se retrouva nue devant la déesse des enfers. Elle essaya en vain d'arracher Ereshkigal à son trône et fut condamnée à mourir. Elle obtint d'être libérée en laissant Doumouzi, son époux, mourir à sa place.

●

ISHTAR Déesse babylonienne de l'amour et de la guerre, étroitement associée à **INANNA**. Elle descendit également aux enfers et connut le même sort qu'Inanna. Elle ordonna à son époux **TAMMOUZ** de prendre sa place parmi les morts. Les Assyriens adoptèrent Ishtar comme déesse de la guerre et comme épouse d'**ASSOUR**.

Ninourta fut le seul dieu assez brave pour affronter l'oiseau à corps de lion, Anzou, au flanc d'une montagne. Ayant appelé les vents à l'aider, Ninourta combattit le monstre, tandis que la tempête se déchaînait autour d'eux. Ninourta tua son ennemi d'une flèche trempée dans le poison.

MARDOUK Fils aîné du dieu **EA** et principale divinité des Babyloniens. Lors du combat qui opposa les dieux à **TIAMAT** et à **APSOU**, les êtres primordiaux, Mardouk fut le seul à oser affronter Tiamat, déesse de la mer et du chaos. Il la terrassa, découpa son corps en morceaux, avec lesquels il créa l'univers.

●

MÔT Dieu phénicien de la mort, de la stérilité et des enfers. Il est en conflit permanent avec **BAAL**. Chaque année, il le convoque aux enfers, où Baal doit mourir, et chaque fois Môt est vaincu par **ANAT**, qui broie son corps et le répand dans les champs. Alors, revenu à la vie, Baal rend sa fertilité à la terre, tandis que Môt ressuscite au temps des moissons.

●

NABOU Fils de **MARDOUK** et dieu babylonien de la sagesse, de la parole et de l'écriture. Il porte les messages des dieux aux mortels, auxquels il enseigne le langage et l'écriture.

SIN Dieu de la lune chez les Sumériens, c'est aussi le dieu du temps, celui dont les phases gouvernent le rythme des mois.

•

TAMMOUZ Dieu de la végétation chez les Babyloniens et époux d'**ISHTAR**. Celle-ci l'envoya aux enfers pour qu'il y prît sa place. Mais sans lui la terre restait stérile, aussi Ishtar obtint-elle que chaque année, au printemps, Tammouz soit provisoirement libéré pour permettre à la végétation de pousser à nouveau.

•

TIAMAT Avec Apsou, ce sont les êtres primordiaux de la mythologie babylonienne. Apsou était un gouffre, gardien de l'eau douce, tandis que Tiamat, l'eau salée, était le monstre du chaos. Ils engendrèrent les premiers dieux, mais essayèrent ensuite de tuer leurs enfants parce qu'ils étaient trop bruyants. A l'issue de la terrible bataille qui s'ensuivit, Apsou fut détrôné par **EA** et Tiamat massacrée par **MARDOUK**, qui créa de son corps la terre et le ciel et fit régner l'ordre universel.

Hommage au dieu Shamash, assis derrière un autel portant son symbole, la roue solaire.

NERGAL Dieu de la guerre chez les Babyloniens. Il devint aussi dieu des morts en épousant **ERESHKIGAL**, reine des enfers. Symbole du mal, comme le dieu **MÔT**, il apportait aux hommes la guerre et la maladie pour accroître le nombre des sujets de son royaume.

•

NINOURTA Dieu de la guerre, chez les Sumériens, et fils d'**ENLIL**. Lorsque la nature se souleva contre lui, il étouffa sa rébellion et imposa l'ordre à la place du chaos. Ninourta enseigna également aux mortels le travail du métal et la poterie.

•

OUT-NAPISHTIM Personnage sumérien légendaire, qui survécut au grand déluge envoyé par **ENLIL** pour châtier les hommes. Pour exprimer sa gratitude, Out-Napishtim offrit un sacrifice aux dieux. Enlil lui accorda son pardon et le rendit immortel.

•

SHAMASH Dieu du soleil chez les Sumériens. Il traversait le ciel pendant le jour, et comme rien n'échappait à son regard à la surface de la terre, Shamash était également dieu de la justice.

L'ÉGYPTE

Pour les Égyptiens de l'Antiquité, seuls le Nil, le roi et le monde de l'au-delà méritaient une attention particulière. Sans doute le Nil venait-il en tête de leurs préoccupations : par ses crues annuelles, le fleuve apportait à la vallée un limon fertile qui en faisait la richesse, et sans lui aucune agriculture n'aurait été possible.

Les crues du Nil étaient attribuées aux dieux. Les Égyptiens rendaient grâces à **OSIRIS** pour le cycle naturel des saisons, et à son épouse **ISIS** pour les crues bienfaitrices du fleuve.

LES DIEUX ÉGYPTIENS

Avant que l'Égypte ne soit placée sous l'autorité d'un souverain unique, chaque région possédait ses propres divinités. Le pays comptait quarante-deux districts, dont chacun avait son dieu. À l'intérieur de ces districts, les petites villes honoraient leur propre dieu et possédaient un temple qui lui était consacré. Lorsque le pays fut unifié, vers 3000 av. J.-C., le culte de ces divinités locales se poursuivit. Certains dieux, comme le soleil, furent vénérés dans l'Égypte entière. **RÊ**, le dieu solaire qui traversait le ciel chaque jour et apportait au monde la lumière et la vie, figurait au premier rang des divinités. Les Égyptiens, frappés par son immense pouvoir, voyaient dans cet astre un œil auquel rien n'échappe, un juge suprême.

Ce dieu créateur, né lui-même de façon mystérieuse des eaux de **NOUN**, créa les dieux de l'eau et de l'air, qui à leur tour engendrèrent la terre puis les dieux du ciel, **GEB** et **NOUT**. Les premiers hommes naquirent des larmes de Rê, mais par la suite, il s'en fallut de peu qu'il ne les anéantît, les hommes ayant décrété qu'il était devenu trop vieux pour gouverner. Rê leur envoya **SEKHMET** pour les punir, mais le massacre de l'espèce humaine fut interrompu grâce à l'intervention de Rê lui-même.

| Tefnout | Geb | Nout | Seth | Nephthys | Chou |

Chez les Égyptiens, dieux et déesses possédaient souvent une tête d'animal — ainsi Tefnout, le dieu à tête de lion. On les représentait aussi accompagnés de l'animal qui leur était associé. Sur la tête du dieu Geb repose par exemple une oie. Chaque dieu tient à la main un long sceptre, symbole de vie, appelé « ankh ».

DES DIVINITÉS ANIMALES

Dès la plus haute antiquité, les Égyptiens représentèrent Rê et les autres dieux sous les traits d'animaux ou d'oiseaux. Rê était un faucon, la déesse **BASTET** un chat et Taueret, déesse de la maternité, une femelle hippopotame enceinte. Par la suite, les dieux prirent forme humaine, tout en conservant une tête d'animal. La croyance en des dieux animaux amena parfois les Égyptiens à embaumer certains animaux après leur mort et à les inhumer dans des cimetières. Le cycle quotidien du soleil était considéré comme une manifestation divine de la renaissance après la mort. Aussi les Égyptiens croyaient-ils que la vie se poursuivait dans un autre monde. Ils s'y préparaient en construisant des tombeaux de pierre dont les parois étaient ornées de scènes de l'au-delà. Les corps étaient embaumés avec le plus grand soin afin que les momies se conservent intactes, puisque le corps était appelé à ressusciter. Les rites funèbres avaient été transmis par les dieux. En effet, lorsque Osiris fut tué par **SETH**, le dieu à tête de chacal **ANUBIS** apprêta son corps et accomplit les rites funèbres. Ceux-ci furent désormais perpétués tels qu'il les avait exécutés. L'art égyptien représente parfois les prêtres portant un masque de chacal, figure de ce dieu.

Les défunts étaient guidés par *Le Livre des morts*, que l'on plaçait dans leur tombe pour les aider dans l'au-delà. Sur cet extrait de l'ouvrage, on voit Thot, le dieu à tête d'ibis, peser les âmes des morts.

Placé dans leur tombe, un bateau permettait aux pharaons de voyager jusqu'à l'autre monde. On y déposait également de la nourriture, des statues de serviteurs, des bijoux et des vêtements pour rendre plus agréable leur vie dans l'au-delà.

Le dieu du Nil Hapi tient **un plateau chargé de légumes et de fruits, symbole de la fertilité du fleuve.**

AMON-RÊ Amon était à l'origine un dieu mystérieux de Haute-Égypte, vénéré à Thèbes comme dieu du vent. Lorsque Thèbes devint capitale de toute l'Égypte, le culte d'Amon se répandit, pour se confondre enfin avec celui de **RÊ** considéré comme le dieu suprême dans tout le pays.

●

ANUBIS Dieu funéraire représenté avec une tête de chacal, que l'on appelle également « l'embaumeur ». Il protège le défunt pendant l'embaumement puis dans la tombe.

●

APIS Taureau sacré, dieu de la force et de la fécondité, dont le culte était célébré à Memphis.

●

ATON L'un des noms du dieu du soleil. Aton devint le dieu unique, créateur et maître de toutes choses, sous le règne d'Akhenaton (Aménophis IV).

●

ATOUM Dieu du soleil couchant, il fut confondu avec le dieu solaire **RÊ** pour devenir Rê-Atoum, dieu suprême d'Égypte. Il était le premier des neufs dieux d'Héliopolis, en Basse-Égypte, qui formaient l'Ennéade.

●

BASTET Déesse représentée sous la forme d'un chat, vénérée comme dispensatrice de la lumière, de l'amour et de la fécondité.

Dans un temple consacré à Amon-Rê, **le prêtre officiant offre au dieu de la nourriture, de l'encens et des fleurs, tandis que les prêtresses chantent des hymnes.**

BÈS Dieu de la danse et des festivités, vénéré par le peuple. Il était représenté sous les traits d'un nain héroïque revêtu d'une peau de lion. Il protégeait les hommes, en particulier contre les morsures de serpent.

●

CHOU Dieu de l'air et de la lumière du jour, premier créé par **RÊ**. Alors que **GEB** et **NOUT** restaient étroitement embrassés, Chou les sépara pour former la terre (Geb) et la voûte du ciel (Nout).

●

ENNÉADE Groupe de neuf (*ennea* en grec) divinités vénérées à Héliopolis, en Basse-Égypte : **RÊ-ATOUM, CHOU, TEFNOUT, GEB, NOUT, OSIRIS, ISIS, SETH, NEPHTHYS.**

●

GEB L'un des neuf dieux d'Héliopolis, la « Cité du Soleil », en Basse-Égypte. C'était le dieu de la terre, né de l'union de **CHOU**, le dieu de l'air, avec **TEFNOUT**, la déesse de l'humidité.

●

HAPI Dieu du Nil. Bien qu'il s'agisse d'un dieu masculin, il est représenté avec une poitrine de femme, laquelle symbolise les vertus nourricières du fleuve, vitales pour l'agriculture et la survie des hommes.

•

HATHOR Déesse de l'amour et de la fécondité. Elle était représentée parfois sous les aspects d'une vache, parfois sous ceux d'une femme portant sur la tête une roue solaire placée entre des cornes de vache. Lorsque **RÊ** l'envoya sur terre poursuivre et massacrer les mortels, elle devint **SEKHMET**, déesse de la guerre et de la destruction.

•

HORUS Dieu du soleil levant, fils d'**ISIS** et d'**OSIRIS**. Il a pour grand ennemi **SETH**, dieu de la violence et du chaos, qui s'est emparé du trône d'Osiris. Horus défie Seth et tous deux se mesurent au cours de différentes épreuves mettant en jeu la force ou la ruse. C'est à l'issue de leurs luttes que les dieux affirment la légitimité d'Horus, en lui offrant le trône d'Égypte.

•

ISIS Déesse de l'amour et de la destinée, fille de **GEB** et de **NOUT**. Elle épousa son frère **OSIRIS** et ils eurent pour fils **HORUS**. Fidèle et dévouée, elle usa de ses pouvoirs magiques pour rendre momentanément la vie à Osiris, tué par **SETH**, le temps pour eux de concevoir Horus. On la représente souvent donnant le sein à son enfant, qu'elle élève afin qu'il venge la mort de son père.

KHONSOU Dieu de la lune, fils d'**AMON-RÊ** et de **MOUT**. Il inspire le pharaon et lui permet de réaliser ses projets. Il est souvent représenté sous les traits d'un jeune homme beau et fort, coiffé d'une lune.

•

KHNOUM Ancien dieu créateur qui, avec son tour de potier, façonna les hommes et les animaux dans l'argile tandis que son épouse Heket leur insufflait la vie. Certains leur attribuaient également la création des dieux.

•

MAAT Fille du dieu **RÊ**, déesse de la justice et de la vérité. Elle veillait au bon déroulement des cérémonies religieuses et au respect des rituels, tout en s'assurant de la bonne conduite des hommes.

MENTHOU Dieu de la guerre à tête de faucon. Bouchis était son taureau sacré, que l'on appelait « âme de **RÊ** ».

•

MERETSEGER Déesse vénérée à Thèbes, à corps de serpent et tête de femme. Bienveillante envers ceux qui se conduisaient bien, elle punissait de sa morsure venimeuse ceux qui faisaient le mal.

•

MESHKENET Déesse veillant sur les accouchements, elle aidait les femmes à supporter les douleurs de l'enfantement. Lorsque l'enfant était né, elle traçait une esquisse de son destin.

•

MIN Dieu de la fécondité associé à **AMON-RÊ**. En son honneur, des adorateurs accomplissaient un curieux rituel, au cours duquel ils grimpaient sur des mâts. Min protégeait également les habitants des contrées désertiques situées à l'est du Nil, qui vivaient de chasse et de cueillette.

•

MOUT Déesse mère que l'on représentait coiffée d'un vautour. Lorsqu'elle épousa **AMON-RÊ**, elle devint reine du ciel.

Devenu vieux, le dieu Rê bavait dans son sommeil. Isis mêla un peu de terre à sa salive pour en façonner un serpent, qui mordit le dieu. Seule Isis pouvait soulager la souffrance qui s'ensuivit, mais elle s'y refusa tant qu'il ne lui aurait pas révélé son nom secret. Rê, à bout de forces, finit par le prononcer et, forte de cette connaissance, Isis s'appropria un pouvoir sans égal parmi les divinités.

Seth, dieu du chaos, invita Osiris à une fête et lui montra un coffre magnifique, destiné, disait-il, à celui qui parviendrait à y entrer. Osiris voulut tenter sa chance, mais lorsqu'il se trouva à l'intérieur, Seth referma le couvercle, le cloua et jeta le coffre dans le fleuve. Isis le retrouva après de longues recherches et usa de ses pouvoirs magiques pour redonner vie à son époux et concevoir leur fils Horus.

NEFERTOUM Fils de **PTAH** et de **SEKHMET**. Il est représenté sous l'aspect d'un homme portant la barbe, armé d'un sabre courbe, une fleur de lotus sur la tête. Selon certains textes, le dieu solaire **RÊ** émergeait chaque matin d'une fleur de lotus.

•

NEITH Grande déesse de la création et des arts domestiques qui aurait tissé le monde. Elle veillait aussi les corps momifiés avant leur mise au tombeau.

•

NEKHEBET Épouse du dieu du Nil **HAPI** et divinité tutélaire (protectrice) de la Haute-Égypte. Gouvernante des enfants royaux, elle volait au-dessus de la tête du pharaon, pour le protéger, sous la forme d'un vautour.

•

NEPHTHYS Déesse des morts, épouse de **SETH**. Lorsque celui-ci tua **OSIRIS** et cacha son corps, Nephthys prit en pitié sa sœur **ISIS** et l'aida à retrouver Osiris.

•

NOUN Dieu des eaux primordiales et du chaos originel, profondeur informe et infinie qui existait avant le commencement des temps, dans l'obscurité précédant la création de l'univers. Le premier dieu, **RÊ**, émergea mystérieusement de Noun, qui fut pour cette raison nommé le « Père des dieux ».

•

NOUT Déesse de la nuit et mère des étoiles. Elle était sœur et épouse du dieu **GEB**, mais ils était si proches l'un de l'autre que **CHOU** finit par les séparer, afin que leurs enfants puissent naître.

•

OSIRIS Dieu de la fertilité qui enseigna aux hommes l'agriculture et le culte des divinités. Il fut tué par son frère **SETH**, dont il avait suscité la jalousie et qui jeta sa dépouille dans le fleuve. **ISIS**, son épouse, retrouva son corps et le tint caché, mais Seth le découvrit et le découpa en quatorze morceaux qu'il dissémina dans l'Égypte entière. Isis passa plusieurs mois à rassembler les différents morceaux, puis reconstitua le corps. Osiris devint alors le dieu qui jugeait les morts à leur entrée dans l'autre monde.

•

OUPOUAT Dieu à tête de chacal (ou parfois de loup) associé à **ANUBIS**, et qui guidait les morts dans l'au-delà.

•

PTAH Dieu des artisans et des artistes, vénéré en Basse-Égypte, à Memphis. Lorsque Memphis fut proclamée capitale de toute l'Égypte, Ptah devint l'une des divinités majeures : on lui attribua même la création de l'univers et la paternité des autres dieux.

•

RÊ Grand dieu solaire représenté sous la forme d'un homme à tête de faucon, portant comme coiffure un disque solaire et un cobra. Les Égyptiens le considéraient comme le dieu suprême, créateur des dieux et des mortels, père de tous les pharaons. Il est également associé à **AMON-RÊ** et à **ATOUM**.

RENENUNET Ancienne divinité nourricière, protectrice des moissons mais aussi déesse des nouveau-nés et des petits enfants, à qui elle attribuait un nom et un destin.

•

RENPET Déesse de l'année nouvelle, qu'elle inaugurait au printemps, apportant la vitalité au monde renouvelé.

•

SEBEK Dieu-crocodile des rivières et des lacs. Ses adorateurs voyaient en lui le mal et lui offraient de nombreux sacrifices pour veiller à ce qu'il fût comblé.

•

SEKER Ancien dieu de la végétation et des funérailles. Il avait l'aspect d'une momie à tête de faucon et gardait les portes de l'au-delà.

•

SEKHMET Redoutable déesse de la guerre, chargée d'anéantir les ennemis de **RÊ**. D'abord confondue avec **HATHOR**, déesse de l'amour, elle devint la violente et cruelle Sekhmet lorsque Rê l'envoya châtier ceux qui le blasphémaient.

•

SÉRAPIS Dieu des enfers, dont les Grecs et les Romains perpétuèrent le culte lorsque leur domination s'étendit sur l'Égypte. Dieu guérisseur aux pouvoirs miraculeux, il possédait les vertus d'**APIS** et d'**OSIRIS**.

SESHAT Déesse de l'écriture, elle tenait la bibliothèque des dieux. C'est elle qui écrivait l'histoire des mortels et traçait leur avenir.

•

SETH Dieu de la violence et du mal, il tua son frère **OSIRIS** et s'empara de son trône. Les dieux rendirent le trône à son héritier légitime, **HORUS**. **RÊ** fit alors de Seth le dieu des orages.

•

SHAÏ Dieu du destin, il accompagne les hommes dans le voyage de la vie, de la naissance à la mort. Au moment où sont jugées les âmes, lorsque les morts entrent dans l'autre monde, Shaï fait à Osiris le récit de toutes les bonnes et mauvaises actions accomplies dans la vie de chacun.

•

TEFNOUT Déesse à tête de lionne, sœur et épouse de **CHOU**. Elle est associée à l'humidité, à la rosée et à la pluie. Elle fut l'une des premières divinités créées par **RÊ**.

•

THOT Dieu de la magie et de la sagesse, il est associé à la lune et représenté avec une tête d'ibis. Inventeur de l'écriture, il est aussi protecteur de la parole. Il se trouve souvent représenté aux côtés d'**OSIRIS**, juge des morts. Son rôle est de vérifier et d'enregistrer le poids des âmes.

Le dieu du soleil Rê traverse le ciel chaque matin dans son embarcation. À la fin de la journée, le dieu a vieilli. La nuit venue, il mène sa barque au pays des morts. À l'aurore, il est de nouveau jeune et prêt pour son voyage quotidien.

LA GRÈCE

Un récit grec de la création raconte comment **GAIA**, la terre, naquit mystérieusement du néant. Seule, sans l'aide d'aucun élément mâle, elle donna naissance à **OURANOS**, le ciel, puis tous deux engendrèrent les **TITANS**. Le plus jeune, **CRONOS**, détrôna Ouranos et devint Roi du ciel. Il épousa sa sœur Rhéa et ils eurent six enfants.

Cronos, redoutant d'être à son tour détrôné par l'un de ses enfants, dévora les cinq premiers, mais Rhéa réussit à lui dissimuler le sixième, **ZEUS**, en lui substituant une pierre enveloppée de langes à sa naissance. L'enfant grandit en exil, revint défier son père et le contraignit à recracher les enfants qu'il avait avalés. Zeus mena ses frères et sœurs à la victoire contre les Titans, qu'il exila ensuite dans le monde souterrain. Il régna alors du haut de l'Olympe en compagnie de ses frères et sœurs, puis de ses enfants.

LES DIEUX DE L'OLYMPE

Le triomphe des dieux sur les Titans correspond à celui de la civilisation sur la vie primitive : il reflète l'évolution et le développement de la société grecque. Ainsi, dès le XII siècle av. J.-C., les Grecs commencèrent à renoncer aux villes fortifiées pour construire des cités. Au V siècle av. J.-C., Athènes était devenue un important centre de civilisation et avait remplacé le gouvernement des tyrans par la démocratie, le pouvoir (*kratos*) du peuple (*dêmos*). Bien qu'immortels et doués de pouvoirs surhumains, les dieux de l'Olympe se conduisaient à la manière des hommes. Zeus, qui rendait la justice, n'était pas un modèle de conduite. Souvent infidèle et très colérique, il était toutefois

LES POÈMES ÉPIQUES

Les mythes grecs nous sont parvenus au travers de l'œuvre de poètes. Homère, auteur au VIII siècle av. J.-C. de *L'Iliade* et de *L'Odyssée*, raconte la guerre de Troie, où se distingue le héros Achille, et le long voyage d'Ulysse regagnant sa patrie après la guerre.

Les dieux mirent dix années pour vaincre les Titans et gouverner l'univers.

considéré comme celui qui avait favorisé l'avènement de la civilisation en anéantissant monstres et géants.

Les Grecs attribuaient à leurs dieux une dimension héroïque et humaine qui les rendait plus proches.

Dans leur mythologie, certains héros, comme **ACHILLE** ou **AJAX**, ont presque autant d'importance que les dieux. Les héros sont souvent fils d'un dieu et d'une mortelle (ou inversement), ce qui explique leur destin hors du commun. Au Ve siècle av. J.-C., on édifiait fréquemment des autels là où, selon la légende, un héros était mort ou enterré. On y déposait des offrandes pour attirer sa bienveillance.

L'ÂGE D'OR

Il y eut un temps originel où les hommes vivaient en confiance avec les dieux et en harmonie entre eux, dans la justice et le bonheur. Cette ère prit fin lorsque les hommes s'abandonnèrent à la cupidité et à la discorde. De dégoût, les dieux s'en détournèrent et créèrent **PANDORE**, la première femme, destinée à châtier la race humaine.

Certains récits rendent responsables de la fin de l'âge d'or **JASON** et les **ARGONAUTES**, qui construisirent le premier navire pour aller voler la Toison d'or, en Colchide. La terre, dans sa colère, refusa alors de donner leur subsistance aux hommes qui durent, pour se nourrir, apprendre l'agriculture.

Au temps de l'âge de bronze et des héros, les dieux aidèrent ces derniers à combattre leurs ennemis. Puis, au VIIIe siècle av. J.-C., en proie au désordre et à la violence, les Grecs pensèrent que les dieux les avaient délaissés. Le seul moyen de rétablir le lien rompu était la prière, le sacrifice, ou encore la consultation des oracles, la volonté divine se faisant connaître aux hommes par la bouche d'une prêtresse. Les mythes étaient racontés à l'occasion des fêtes religieuses et profanes, ou lors de la représentation, au théâtre, des tragédies d'Eschyle, de Sophocle et d'Euripide. En centrant leur intérêt sur l'opposition entre le bien et le mal, les mythes grecs contribuèrent à renforcer la cohésion et la justice de leur société.

Les dieux faisaient connaître leur volonté par la prêtresse d'Apollon, à Delphes. Les pèlerins venaient de loin pour la consulter. Assise dans le temple sur un trépied sacré, elle entrait en transe et répondait aux questions. Ses réponses étaient interprétées et écrites par des prêtres.

LE PARTHÉNON

Dans toute la Grèce, on construisit des temples pour honorer les dieux et les déesses. À Athènes le temple consacré à la déesse Athéna fut appelé le Parthénon. Il contenait autrefois une grande statue de la déesse en ivoire et en or. Ses ruines dominent encore la ville de nos jours.

LES DIEUX GRECS

Dans de nombreuses mythologies, la généalogie des dieux et des déesses est très compliquée. Ce tableau simplifié montre la parenté des dieux grecs et présente également certaines divinités secondaires, comme les Muses ou les Moires. La culture occidentale ayant souvent puisé ses sources dans la mythologie grecque, certaines divinités vous seront sans doute familières.

Zeus infligea de terribles châtiments aux Titans Prométhée et Atlas. Ce fragment de vase montre le premier attaché à un poteau, le foie dévoré par un aigle, tandis que son frère Atlas (à gauche) doit porter le ciel sur ses épaules.

GAIA
La terre, élément primordial
=
OURANOS
Le ciel.

LES PREMIERS TITANS

CRONOS = **RHÉA**
Chef des Titans — Mère de Zeus et des premiers dieux de l'Olympe

HYPÉRION = **THIA**
Le soleil, renversé par Apollon

CRIOS = **EURYBIÉ**
La puissance de la mer

CŒOS = **PHŒBÉ**
Avec Phœbé, représente la lumière du soir — La lumière du soir

MNÉMOSYNE = **ZEUS**
La mémoire, fille d'Ouranos

JAPET = **CLYMÉNÉ**
Banni par Zeus au plus profond des Enfers — Océanide (fille d'Océanos), nymphe de la mer

OCÉANOS = **TÉTHYS**
Père des eaux, source des mers et des fleuves — La fécondité des eaux, mère des fleuves, des nymphes et des Océanides

THÉMIS = **ZEUS**
La loi et la justice, associée à la création

LES PREMIERS DIEUX DE L'OLYMPE

ZEUS
Roi des dieux

=

=

MÉTIS
Océanide,
mère d'Athéna

HÉRA
Déesse du mariage
et de la maternité
mère d'Arès,
d'Aphrodite et
d'Héphaïstos

DÉMÉTER
Déesse des moissons

HESTIA
Déesse du foyer

HADÈS
Dieu des Enfers

POSÉIDON
Dieu
de la mer

=

AMPHITRITE
L'une des
Néréides

ÉOS
Déesse de l'aurore

SÉLÉNÉ
Déesse de la lune

HÉLIOS
Dieu du soleil

ASTRAEOS
Père des étoiles
et des quatre vents

PALLAS
Père de dieux mineurs
comme Zélos (l'ardeur),
Cratos (le pouvoir),
Bia (la violence)
et Niké (la victoire)

=

STYX
Divinité primordiale,
fleuve des Enfers

ASTÉRIA
Fuyant les ardeurs de Zeus,
Astéria tomba dans la mer
et devint l'île de Délos

LÉTO
Pour échapper à Héra, Léto se
réfugia à Délos, où elle donna
naissance à Apollon et Artémis

=

ZEUS

S ur ce fragment
de vase,
Poséidon fait sa cour
à la Néréide
Amphitrite qui,
voulant s'enfuir dans
l'océan, fut ramenée
par un dauphin.

LES MUSES

CALLIOPE, la poésie épique　**ÉRATO**, l'art lyrique　**MELPOMÈNE**, la tragédie　**TERPSICHORE**, la danse　**URANIE**, l'astronomie
CLIO, l'histoire　**EUTERPE**, la musique　**POLYMNIE**, la pantomime　**THALIE**, la comédie

LES TITANS

PROMÉTHÉE
Titan qui donna
le feu aux hommes

ATLAS
Titan qui portait sur ses
épaules la voûte des cieux

ÉPIMÉTHÉE
Titan qui, pour le malheur
des hommes, accepta
de recevoir Pandore

=

PANDORE
La première femme,
don de Zeus

LES DIEUX DES FLEUVES

ACHÉLOOS

ASOPOS

STYX

DORIS

EURYNOME

=

=

NÉRÉE

ZEUS

→ ## LES NÉRÉIDES
Belles divinités marines qui demeurent
au palais de Poséidon

→ ## LES TROIS GRÂCES
AGLAÉ　THALIE　EUPHROSYNE
Divinités de la beauté, compagnes d'Aphrodite

LES SAISONS
DIKE, la justice
EIRÉNÉ, la paix
EUNOMIA, l'ordre

LES MOIRES
Ces trois sœurs
réglaient le destin
des hommes :

CLOTHO tenait le fil
LACHÉSIS filait le destin
ATROPOS coupait le fil

Après avoir surpris Artémis au bain, le chasseur Actéon fut transformé en cerf par la déesse, puis tué par ses propres chiens.

ACHILLE Glorieux héros, personnage principal de *L'Iliade*. Lorsqu'il était enfant, il fut trempé par sa mère **THÉTYS** dans l'eau du Styx, le fleuve des Enfers, qui rendait invulnérable. Mais elle le tenait par le talon, et ce fut le seul endroit où une blessure mortelle pourrait désormais l'atteindre. C'est pourquoi l'expression « talon d'Achille » désigne aujourd'hui le point faible de quelqu'un. Lorsqu'il fut jeune homme, Thétys le revêtit d'habits féminins pour éviter qu'il ne parte à la guerre, mais un stratagème d'**ULYSSE** finit par le démasquer.
Achille fut l'un des chefs de guerre pendant le siège de Troie et, en raison de ses exploits, il demeura un exemple de bravoure pour les Grecs.

•

ACTÉON Chasseur de grand talent élevé par **CHIRON**. Un jour qu'il était à la chasse, il surprit au bain la déesse **ARTÉMIS** qui, dans sa colère, le transforma en cerf.

•

ADONIS Jeune homme d'une grande beauté, aimé par **APHRODITE**. La déesse avait demandé à **PERSÉPHONE** de l'élever, mais celle-ci s'éprit du beau jeune homme et refusa de le rendre. **ZEUS** décréta qu'Adonis partagerait son temps entre les deux déesses, mais **ARÈS**, amant d'Aphrodite, se transforma en sanglier et, par jalousie, tua le jeune homme.

•

AGAMEMNON Roi de Mycènes, il fut le chef de l'armée grecque pendant la guerre de Troie. À son retour, il fut tué par sa femme **CLYTEMNESTRE** et par l'amant de celle-ci.

•

AJAX Pendant la guerre de Troie, héros le plus brave dans le camp grec, après **ACHILLE**. Tous deux étaient amis et, à la mort d'Achille, Ajax demanda à hériter de ses armes, qui furent toutefois attribuées à **ULYSSE**. Fou de dépit et de colère, Ajax se suicida en se jetant sur son épée.

•

ALCESTE Épouse d'Admète, roi de Phères. Les **MOIRES** acceptèrent d'accorder l'immortalité à Admète s'il trouvait quelqu'un pour mourir à sa place. Seule Alceste consentit à se sacrifier. **HÉRACLÈS** descendit ensuite aux Enfers, d'où il la ramena.

AMAZONES Peuple de femmes, guerrières et chasseresses, vivant au bord de la mer Noire. Elles ne toléraient les hommes que comme esclaves et pour concevoir des enfants. Lorsqu'elles avaient des enfants mâles, elles les tuaient. Elles furent vaincues par **THÉSÉE** alors qu'elles avaient envahi Athènes.

•

AMPHITRITE Néréide, reine de la mer. **POSÉIDON** lui demanda de l'épouser, mais elle refusa et s'enfuit à la nage pour retrouver son frère **ATLAS**. Poséidon envoya alors un dauphin à sa recherche et, à son retour, tous deux régnèrent sur les ondes.

•

ANCHISE Mortel, aimé de la déesse **APHRODITE**, ce dont il se vanta. Il fut puni par **ZEUS** qui lui ôta la vue d'un coup de foudre. Anchise est le père d'Énée, héros fondateur du peuple romain.

•

ANDROMÈDE La mère d'Andromède, Cassiopée, reine d'Éthiopie, prétendit un jour que sa fille était plus belle que toutes les **NÉRÉIDES**. Pour la punir de sa vanité, **POSÉIDON** envoya un monstre marin dévorer les Éthiopiens. Enchaînée à un rocher et offerte en sacrifice afin d'apaiser le monstre, Andromède fut délivrée à temps par **PERSÉE**.

ANTÉE Fils de **POSÉIDON** et de **GAIA**, il contraignait les voyageurs à le combattre. Il l'emportait toujours car sa force se renouvelait au contact de sa mère, la terre. Seul **HÉRACLÈS** parvint à le vaincre en le soulevant de terre.

●

ANTIGONE Fille d'**ŒDIPE** et de Jocaste, elle donna une sépulture à son frère Polynice, bravant l'interdit de Créon, roi de Thèbes. Pour la punir, Créon la fit enfermer vivante dans un tombeau.

●

APHRODITE Déesse de la beauté, de l'amour et de la fécondité, née de l'écume de la mer. Elle avait le pouvoir de faire éprouver l'amour à tout être vivant, de bon ou de mauvais gré. Ainsi, lorsque **PYGMALION**, roi de Chypre, sculpta une statue d'ivoire dont il devint amoureux, Aphrodite écouta ses prières et accorda la vie à la statue.

●

APOLLON Fils de **ZEUS** et de Léto, et frère jumeau d'**ARTÉMIS**. Né sur l'île de Délos, il devint le dieu du soleil, de la logique et de la raison. Musicien, poète, chasseur et guérisseur, il avait aussi le talent de divination et on consultait l'oracle de Delphes pour connaître ses prophéties. Tous les hivers, il quittait la Grèce pour les lointaines contrées du Nord et revenait au printemps, dans un char tiré par des cygnes blancs.

●

ARACHNÉ Jeune fille mortelle dont on admirait les tapisseries et qui eut l'audace de défier **ATHÉNA**, déesse des fileuses et des brodeuses. La déesse fit une tapisserie représentant le destin de ceux qui étaient trop prétentieux, tandis qu'Arachné brodait les amours scandaleuses des dieux de l'Olympe. Alors Athéna transforma Arachné en araignée, la condamnant à filer et à tisser éternellement.

ARÈS Dieu de la guerre, il était associé à l'esprit de violence et de carnage plutôt qu'à l'héroïsme du combat. C'est pourquoi il était méprisé des mortels aussi bien que des autres dieux.

●

ARGONAUTES Compagnons de **JASON** qui, à bord du navire *Argo*, allèrent de Grèce en Colchide, sur la rive orientale de la mer Noire, pour s'emparer de la Toison d'or. En effet, un bélier ailé envoyé par **ZEUS** pour sauver deux enfants avait laissé sa Toison d'or aux branches d'un arbre sacré, avant de s'envoler vers le ciel et de devenir une constellation. Les héros durent franchir les Roches bleues (les Cyanées), écueils qui se heurtaient l'un contre l'autre à l'entrée du détroit du Bosphore, fracassant les navires qui s'y risquaient. Les Argonautes lâchèrent une colombe, qui passa la première, puis s'engouffrèrent entre les rochers avant qu'ils ne se referment. Après moult périples, ils parvinrent à ramener la Toison.

●

ARIANE Fille de **MINOS**, roi de Crète. Elle s'éprit de **THÉSÉE** et l'aida à tuer le Minotaure, son demi-frère. Mais Thésée l'abandonna ensuite sur l'île de Naxos, où **DIONYSOS** l'épousa, avant de l'emmener parmi les immortels.

Aphrodite, dont le nom signifie « née de l'écume », sortit de la mer dans toute sa beauté, prête à rejoindre les dieux.

Pendant la guerre de Troie, les Amazones vinrent au secours des Troyens. Mais leur reine Penthésilée fut tuée au combat par la lance d'Achille.

La Chimère était un monstre soufflant des flammes qui terrorisait le peuple de Lycie. Elle fut abattue par Bellérophon, monté sur le cheval ailé Pégase.

ARTÉMIS Fille de **ZEUS** et de Léto, et sœur jumelle d'**APOLLON**. Personnification de la lune, déesse de la chasse et de la chasteté, elle protège les jeunes gens restés purs.

ASCLÉPIOS Fils d'**APOLLON**, il fut élevé par le centaure **CHIRON** qui lui enseigna la médecine. Asclépios devint si habile dans cet art qu'il parvint à ressusciter les morts. Craignant qu'il ne bouleverse l'ordre du monde, **ZEUS**, le foudroya. Asclépios devint ensuite dieu de la médecine.

●

ATHÉNA Déesse de la guerre et de la sagesse. Née tout armée de la tête de **ZEUS**, elle protège les artisans, les héros et la cité d'Athènes. Sur son bouclier figure la tête de **MÉDUSE**.

●

ATLAS **TITAN** qui prit part à la lutte contre les dieux de l'Olympe. **ZEUS** le bannit à l'autre bout de la terre et lui infligea pour châtiment de soutenir sur ses épaules la voûte du ciel.

●

BELLÉROPHON Jeune prince de Corinthe que le roi de Lycie envoya tuer la Chimère, monstre tenant du lion, de la chèvre et du dragon. Sur le dos du cheval ailé **PÉGASE**, Bellérophon fondit sur le monstre et l'abattit. Le roi lui donna sa fille en mariage pour le récompenser. Plus tard, le héros voulut monter sur le dos de Pégase jusqu'aux dieux de l'Olympe, mais **ZEUS** le précipita sur la terre en une chute mortelle.

CASSANDRE Prophétesse originaire de Troie, captive d'**AGAMEMNON**. Privée du don de persuader par **APOLLON**, ses prophéties, toujours exactes, n'étaient jamais crues. Elle mit en garde les Troyens contre le cheval de Troie mais ne fut pas écoutée. La cité fut prise par les soldats grecs cachés à l'intérieur du cheval.

●

CASTOR et **POLLUX** Également nommés les Dioscures (« fils de **ZEUS** »), ces jumeaux ont pour mère **LÉDA**. Ils prirent part à l'expédition des **ARGONAUTES**, et furent plus tard immortalisés en devenant la constellation des Gémeaux.

●

CENTAURES Êtres monstrueux et aux mœurs brutales, ils ont le buste d'un homme et un corps de cheval. Ils symbolisent la barbarie, à l'exception de deux d'entre eux, Pholos, et surtout **CHIRON**, savant qui éleva de nombreux héros et certains dieux.

●

CHARON Vieillard chargé de faire passer les âmes sur l'autre rive du fleuve des Enfers. Les Grecs avaient coutume de placer une pièce de monnaie dans la bouche des morts pour payer le passeur.

●

CHARYBDE Monstre vivant dans le détroit de Messine, qui sépare l'Italie de la Sicile. Formant un gigantesque tourbillon, Charybde engloutissait les navires qui passaient à proximité. Les navigateurs qui l'évitaient étaient guettés par un autre monstre, situé de l'autre côté du détroit : la redoutable **SCYLLA**.

●

CHIRON **CENTAURE** sage et bienveillant, célèbre pour sa science et son enseignement qu'il dispensa à de nombreux dieux et héros, parmi lesquels **ACHILLE**, **APOLLON**, **ASCLÉPIOS** et **JASON**. Chiron était aussi un grand médecin qui pratiqua même la chirurgie.

●

CIRCÉ Nymphe et grande magicienne. Lorsque **ULYSSE** et ses compagnons accostèrent son île, elle transforma les navigateurs en pourceaux. Ulysse la força à leur rendre leur forme première, puis ils restèrent auprès d'elle pendant un an.

CLYTEMNESTRE Fille de **LÉDA** et de **ZEUS**, épouse d'**AGAMEMNON**, roi de Mycènes. Pendant que son époux était à la guerre de Troie, elle prit pour amant son cousin Égisthe, et tous deux tuèrent le roi à son retour. Son fils **ORESTE** vengea ce meurtre en les tuant à son tour.

•

CRONOS Fils d'**OURANOS** et de **GAIA**, il régnait sur les **TITANS**. Il tua son père et épousa sa sœur Rhéa. Craignant d'être détrôné par l'un de ses enfants, il les avalait dès leur naissance. Rhéa lui présenta une pierre emmaillotée à la naissance de **ZEUS** qui, devenu grand, détrôna effectivement son père.

•

CYCLOPES Trois frères de la race des Géants, qui n'avaient qu'un œil au milieu du front. Vivant de l'élevage de leurs moutons, ils sont les ancêtres des bergers de Sicile. Les premiers Cyclopes furent emprisonnés par **OURANOS**, dieu du ciel. **ZEUS** les délivra et ils combattirent à ses côtés dans la guerre contre les **TITANS**. Les Cyclopes fournirent aux dieux les armes qui leur permirent de triompher : à Zeus ils donnèrent la foudre, à **HADÈS** un casque qui rendait invisible, et à **POSÉIDON** un trident.

•

DANAÉ Fille du roi d'Argos Acrisios, elle fut emprisonnée par son père à qui un oracle avait prédit qu'un jour son petit-fils le tuerait. **ZEUS** vint dans sa prison sous la forme d'une pluie d'or, et elle eut de lui un fils, le héros **PERSÉE** qui, devenu jeune homme, la protégea.

DAPHNÉ Nymphe aimée d'**APOLLON**. Comme elle se refusait à lui, le dieu la poursuivit mais, sur le point d'être rattrapée, elle fut transformée en laurier sur les rives du fleuve Pénée.

•

DÉDALE Artiste ingénieux et grand inventeur, originaire d'Athènes. Architecte auprès de **MINOS**, roi de Crète, il construisit le Labyrinthe, un palais dont nul ne pouvait ressortir et dans lequel le roi enferma le **MINOTAURE**, monstre à tête de taureau sur un corps d'homme.

•

DÉMÉTER Fille de **CRONOS** et de Rhéa, elle devint déesse des moissons sous le règne de **ZEUS**. Sa fille **PERSÉPHONE** fut enlevée par **HADÈS**, qui l'entraîna dans son royaume des Enfers. Déméter parcourut alors le monde à la recherche de sa fille, tandis que les plantes mouraient et que les hommes étaient frappés par la famine. Perséphone reçut la permission de retourner au jour six mois par an. Son séjour souterrain correspond à l'hiver.

La magicienne Circé avait métamorphosé en pourceaux les compagnons d'Ulysse, mais le héros réussit à obtenir qu'elle leur rende forme humaine. Il fut aidé par Hermès, qui lui donna une plante magique pour le protéger.

Dédale ayant dévoilé à Thésée le plan du labyrinthe qu'il avait construit pour le roi Minos, celui-ci l'emprisonna avec son fils Icare. Ils s'évadèrent en se fabriquant des ailes fixées avec de la cire.

DIONYSOS Fils de **ZEUS** et de Sémélé, princesse de Thèbes. Poursuivi par la colère d'**HÉRA**, il fut élevé en secret. Devenu adulte, il parcourut la Grèce, entouré d'un cortège bruyant de **MÉNADES** et de **SATYRES**. Il devint le dieu de la végétation, et plus particulièrement de la vigne et du vin.

ÉCHO Nymphe qui vivait sur le mont Hélicon. **ZEUS** acheta ses services pour qu'elle distraie **HÉRA** par son babil incessant pendant qu'il courtisait déesses et mortelles. Lorsque Héra découvrit son stratagème, elle punit Écho, qui disparut et devint une voix répétant les dernières syllabes prononcées autour d'elle.

ENDYMION Jeune berger d'une grande beauté, il plut à Séléné, la lune. Celle-ci lui accorda la réalisation d'un vœu s'il devenait son amant. Il choisit le sommeil éternel et resta ainsi éternellement jeune.

ÉOLE Roi de l'île d'Éolia, non loin de la Sicile, et maître des vents. Il fit don d'une outre à **ULYSSE**, qui revenait de la guerre de Troie, dans laquelle il avait enfermé tous les vents, sauf celui qui devait mener le héros dans sa patrie. Les compagnons d'Ulysse, croyant que l'outre contenait du vin, l'ouvrirent pendant son sommeil et déchaînèrent une tempête.

ÉOS Déesse de l'aurore, elle s'éprit d'un jeune homme, Tithonos, et demanda à **ZEUS** de lui accorder l'immortalité. Malheureusement, elle avait oublié de demander pour son amant le don d'éternelle jeunesse, aussi finit-il par vieillir et se dessécher. Elle le transforma alors en sauterelle.

ÉRINYES Trois sœurs redoutables, appelées les « Furies » par les Romains, nées du sang d'**OURANOS** lorsque son fils **CRONOS** le tua. Femelles de la vengeance, elles poursuivaient les criminels et harcelaient ceux qui avaient tué un proche parent.

ÉRIS Déesse de la discorde et des disputes. Sans y avoir été invitée, elle se présenta au mariage de Pélée et de **THÉTYS**, et apporta une pomme d'or sur laquelle on lisait la dédicace : « À la plus belle des déesses ». **ATHÉNA**, **HÉRA** et **APHRODITE** s'en remirent à **PÂRIS** pour choisir à qui revenait la pomme. Elles lui firent chacune moult promesses, mais il choisit Aphrodite car elle lui offrait l'amour d'**HÉLÈNE** de Sparte. C'est cet épisode qui, amenant l'enlèvement de la jeune femme, déclencha la guerre entre Grecs et Troyens.

•

ÉROS Jeune dieu de l'amour, qui se plaît à frapper les cœurs de ses flèches à pointe d'or, pour inspirer l'amour tout autour de lui. Il tomba lui-même amoureux de la belle Psyché. Comme il ne pouvait lui révéler qui il était, il lui rendait toujours visite la nuit. Mais la curiosité de Psyché l'emporta et, une nuit, elle regarda son amant endormi à la lueur d'une bougie. Une goutte de cire brûlante tomba sur Éros et le réveilla. Le dieu s'enfuit et Psyché se mit à errer à sa recherche. Elle eut à subir de nombreuses épreuves avant de le retrouver enfin.

•

EUROPE Princesse phénicienne dont la beauté émerveilla **ZEUS**. Il se transforma en taureau d'un blancheur éclatante, enleva Europe, franchit la mer avec elle et atteignit la Crète. De leur union naquirent plusieurs enfants, dont le roi **MINOS**.

•

EURYDICE Lorsque cette jeune femme mourut, piquée par un serpent, son époux **ORPHÉE** n'hésita pas à descendre aux Enfers pour la rechercher. Il lui fut accordé de la ramener au jour, à condition qu'il ne se retournât pas sur elle avant d'accéder à la lumière. Mais Orphée ne sut résister au désir de la revoir et perdit Eurydice à jamais.

•

GAIA La terre, élément primordial d'où naquirent toutes les races divines. Elle donna naissance aux **TITANS**, mais son époux, le dieu du ciel **OURANOS**, interdisait à ses enfants de voir le jour et les repoussait dans les profondeurs de leur mère, de crainte qu'ils ne se rebellent contre lui. Gaia fut vengée par son fils **CRONOS**, qui détrôna Ouranos.

•

GANYMÈDE Jeune prince troyen. Lorsque **ZEUS** vit la beauté du jeune homme, il s'en éprit et envoya un aigle pour l'enlever. Sur l'Olympe, Ganymède devint immortel et servit d'« échanson », celui qui verse le nectar dans la coupe des dieux.

•

GORGONES Trois sœurs monstrueuses, dont deux étaient immortelles. Elles possédaient des mains de bronze, des ailes d'or, une tête entourée de serpents. Quiconque les regardait en face était changé en pierre. **MÉDUSE**, seule des trois sœurs à être mortelle, fut tuée par le héros **PERSÉE**.

•

HADÈS Fils de **CRONOS** et de Rhéa et frère de **ZEUS**. Lorsque celui-ci partagea l'univers, Hadès reçut le royaume des morts. Il régna sur les Enfers avec son épouse **PERSÉPHONE**.

Déméter, déesse de la fertilité, est aidée de Triptolème, qui doit porter le grain aux hommes et répandre à travers le monde la culture du blé.

Hadès règne sur le monde souterrain, les Enfers, divisés en trois domaines. Dans le Tartare sont plongés les grands criminels, pour y subir d'atroces châtiments. Au pays des Ombres séjournent la plupart des âmes. Les Champs Élysées sont réservés aux grands héros.

HARPIES Sœurs monstrueuses représentées comme des oiseaux à tête de femme. Elles volaient la nourriture dans l'assiette même de leurs victimes, qu'elles emportaient parfois entre leurs serres pour les offrir au châtiment des **ÉRINYES**. Lorsque quelqu'un disparaissait de façon inexplicable, les Grecs en attribuaient la responsabilité aux Harpies.

HÉCATE Déesse mystérieuse issue de la génération des **TITANS**. Liée à la magie et au royaume des ombres, elle séjourne dans le monde souterrain et contribue, avec **DÉMÉTER** et **PERSÉPHONE**, à la fertilité de la terre. On lui attribue l'invention de la sorcellerie et des pratiques obscures ; on raconte aussi qu'elle hante les tombes.

HECTOR Fils aîné de **PRIAM**, roi de Troie, et d'Hécube. Chef de l'armée troyenne, il fut tué par **ACHILLE** qui fit subir les pires outrages à son cadavre en le traînant trois fois autour des remparts de Troie attaché à son char.

HÉLÈNE Fille de **ZEUS** et de **LÉDA**. Considérée comme la femme la plus belle du monde, elle épousa le roi de Sparte Ménélas. Elle fut enlevée par le Troyen **PÂRIS** et cet acte entraîna la guerre de Troie.

HÉLIOS Dieu du soleil, il emporte chaque matin, précédé de l'aurore, le soleil sur son char ; il atteint le sommet de la voûte du ciel à midi. Le soir, il disparaît à l'ouest et ses chevaux fatigués s'abreuvent dans l'océan. La nuit, il se repose et franchit l'océan dans une grande coupe d'or.

HÉPHAISTOS Dieu du feu et des travaux de la forge, il est aussi joaillier et potier. Fils d'**HÉRA** et de **ZEUS**, qui le précipita du haut de l'Olympe un jour où il prit le parti de sa mère dans une dispute, il demeura laid et boiteux. Son épouse, la belle **APHRODITE**, le trompe allégrement...

HÉRA Fille de **CRONOS** et de Rhéa, unie à **ZEUS**. Protectrice des épouses et des enfants légitimes, elle s'employa à punir les nombreuses maîtresses de Zeus ainsi que leurs enfants. C'est ainsi qu'elle persuada Sémélé, princesse de Thèbes qui allait avoir un enfant du roi des dieux, de demander à ce dernier de lui apparaître dans toute sa splendeur, c'est-à-dire avec la foudre, à laquelle Sémélé succomba. Zeus sauva l'enfant, **DIONYSOS**, qu'il garda dans sa cuisse jusqu'à sa naissance.

HÉRACLÈS Fils de **ZEUS** et d'Alcmène, que le dieu avait séduite en prenant la forme de son époux Amphitryon, Héraclès montra d'héroïques dispositions dès le berceau en étouffant les serpents envoyés par **HÉRA**, furieuse de l'adultère de Zeus. Par la suite, Héraclès tua sa femme et ses enfants dans un accès de folie inspiré par Héra. Pour expier son crime, il fut chargé de douze travaux, tâches réputées impossibles qu'il mena pourtant à bien.
Pour vaincre les Oiseaux du lac Stymphale, qui dévoraient tout, parfois même les hommes, Héraclès eut recours à des castagnettes de bronze qui les effrayèrent. Les oiseaux sortirent alors de la forêt où ils demeuraient et le héros les abattit de ses flèches.
Il combattit aussi l'Hydre de Lerne, un monstre à plusieurs têtes. Comme, pour chaque tête coupée, il en repoussait deux,

Héraclès appliqua sur les blessures du monstre des brandons enflammés pour les empêcher de repousser. Il dut encore ramener des Enfers le chien à trois têtes Cerbère qui en gardait l'entrée. À sa mort, Héraclès fut reçu parmi les dieux de l'Olympe.

●

HERMÈS Messager des dieux, il franchissait les airs chaussé de sandales ailées et portant le caducée, la houlette d'or que lui avait donnée **APOLLON**. Il était aussi chargé de conduire les âmes des défunts aux Enfers. Il était enfin le dieu du commerce... mais aussi celui des voleurs.

●

HESTIA Déesse du foyer, fille aînée de **CRONOS** et de Rhéa. On lui vouait un culte dans tous les temples et dans toutes les maisons.

●

HIPPOLYTE Fils de **THÉSÉE** et d'Hippolyté, reine des **AMAZONES**. Phèdre, seconde femme de Thésée, s'éprit de lui. Il la repoussa. Elle se pendit, laissant un message dans lequel elle accusait Hippolyte d'avoir tenté de la violer. Alors Thésée adressa une prière à **POSÉIDON** pour lui demander de punir son

fils. Le dieu envoya un monstre marin qui effraya les chevaux d'Hippolyte, causant la mort du jeune homme.

●

ICARE Fils de **DÉDALE**, il reçut de son père une formation d'ingénieur et d'architecte. Tous deux furent emprisonnés par le roi de Crète **MINOS**, mais ils s'échappèrent en fixant avec de la cire des ailes à leurs bras. Icare, tout à l'ivresse de voler, oublia les conseils de son père et monta dans les airs si près du soleil que la cire de ses ailes fondit, le précipitant dans la mer.

●

IO Lorsque **ZEUS** tomba amoureux d'Io, jeune fille d'Argos, il la transforma en génisse pour la soustraire à l'attention d'**HÉRA**. Mais Héra finit par apprendre la vérité, et confia Io à la garde d'Argos aux cent yeux. Zeus chargea **HERMÈS** de tuer son gardien, mais Héra envoya alors un taon pour tourmenter la génisse. Celle-ci s'enfuit, traversa la mer et arriva jusqu'en Égypte où Zeus la retrouva finalement.

●

IPHIGÉNIE Le départ des navires grecs vers Troie était rendu impossible, faute de vent. La responsable de ce contretemps était

LA GUERRE DE TROIE

Célèbre par le récit qu'en a fait le poète Homère, cette guerre eut pour cause l'enlèvement de la belle **HÉLÈNE** par le Troyen **PÂRIS** et opposa les armées grecques et troyennes.

Alors que Troie était assiégée depuis dix ans, **ULYSSE** eut l'idée d'un stratagème décisif. Il fit construire un immense cheval de bois à l'intérieur duquel se cachèrent des soldats grecs. Tandis que les armées grecques simulaient un départ, le cheval fut laissé sous les remparts de la ville. Les Troyens y virent un signe de victoire et firent entrer le cheval dans la cité. À la faveur de la nuit, les soldats se glissèrent hors des flancs du cheval et ouvrirent les portes à l'armée grecque. Troie fut alors anéantie.

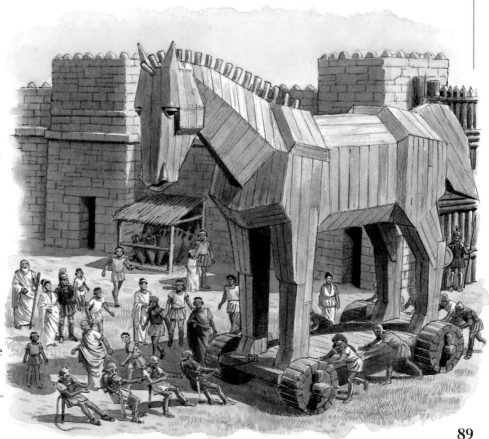

Pour s'emparer de la Toison d'or, Jason dut compter sur l'aide de la magicienne Médée. La Toison se trouvait dans un bois sacré, gardée par un dragon qui ne dormait jamais. Médée prépara une potion soporifique que Jason versa sur le dragon. Le monstre endormi, Jason s'empara de la Toison et s'enfuit.

en fait **ARTÉMIS**, qu'**AGAMEMNON** avait offensée en tuant une biche. La déesse exigea du roi grec le sacrifice de sa fille Iphigénie. Selon certains récits, Artémis, au dernier moment, substitua une biche à la jeune fille, et celle-ci resta ensuite au service de la déesse.

●

IRIS Déesse dont le vêtement est l'arc-en-ciel, qui relie le ciel et la terre. Elle est, pour cette raison, la messagère des dieux.

●

IXION Roi des Lapithes, il fut invité à la table des dieux et eut l'audace d'essayer de séduire **HÉRA**. **ZEUS** façonna une nuée à l'image de la déesse et Ixion s'unit à elle. De cette union naquirent les **CENTAURES**. Pour son châtiment, Ixion fut attaché à une roue enflammée que Zeus lança pour l'éternité à travers les airs.

●

JASON Originaire d'Iolcos, il devait hériter du trône, mais son oncle Pélias l'en déposséda. Jason fut élevé en exil par **CHIRON**. Devenu adulte, il demanda à Pélias de lui rendre

le trône. Pélias y mit une condition : Jason devrait d'abord s'emparer de la Toison d'or. Ce dernier réunit les **ARGONAUTES** et partit en Colchide, où la princesse Médée s'éprit de lui, trahit son père et aida Jason à prendre la Toison, avant de s'enfuir avec lui. Après avoir causé la mort de Pélias, tous deux se réfugièrent à Corinthe, où Jason abandonna Médée pour Glaucé que Médée fit mourir pour se venger.

●

LÉDA ZEUS prit la forme d'un cygne pour séduire cette jeune femme et s'unir à elle. Léda pondit un œuf, d'où sortirent les deux couples formés par **CASTOR** et **POLLUX** d'une part, **CLYTEMNESTRE** et **HÉLÈNE** de l'autre.

●

MÉDUSE L'une des trois **GORGONES**. **PERSÉE** lui coupa la tête, en se servant d'un bouclier de bronze poli comme miroir pour éviter de la regarder en face et d'être pétrifié. Puis, le héros offrit la tête de Méduse à **ATHÉNA**, qui la mit au centre de son bouclier.

●

MÉNADES Suivantes de **DIONYSOS**. Nues ou vêtues de voiles légers ou de peaux de bêtes, elles se livrent à des danses effrénées pour honorer le dieu et invitent les mortelles à se joindre à elles bien souvent contre la volonté de leurs maris.

●

MIDAS Roi de Phrygie. Il portait en permanence une tiare pour cacher ses oreilles d'âne. Celles-ci lui avaient été infligées par **APOLLON**, parce que Midas avait préféré la musique de **PAN** à la sienne dans un concours qui les opposait. **DIONYSOS** lui ayant accordé un vœu, Midas demanda que tout ce qu'il touchait se transformât en or. Le roi comprit son erreur et son malheur lorsque ses aliments, puis sa fille, se changèrent en or, et il demanda au dieu de lui reprendre ce don.

●

MINOS Roi de Crète, fils d'**EUROPE** et de **ZEUS**. **POSÉIDON** rendit son épouse amoureuse d'un taureau, avec lequel elle eut un enfant, mi-homme, mi-taureau, le **MINOTAURE**. Alors, **DÉDALE** fut chargé de construire un Labyrinthe dans lequel fut enfermé le monstre. Celui-ci se nourrissait de jeunes Athéniens, jusqu'au jour où **THÉSÉE** le tua, avec l'aide d'**ARIANE**, la propre fille du roi.

MINOTAURE Monstre mi-homme, mi-taureau. **POSÉIDON** avait offert au roi **MINOS** un superbe taureau destiné au sacrifice. Mais Minos le garda et, pour se venger, Poséidon suscita la passion de Pasiphaé, épouse du roi, pour le taureau. **DÉDALE** construisit une génisse en bois, dans laquelle Pasiphaé se glissa pour s'accoupler à l'animal. De leurs amours contre nature naquit le Minotaure.

•

MOIRES Trois divinités qui président au destin des hommes : Clotho, Lachésis et Atropos (voir p. 81).

•

MUSES Déesses des arts « nobles » comme la musique ou la littérature, auxquelles les poètes attribuent leur inspiration (voir p. 81).

•

NARCISSE Beau jeune homme qui méprisait l'amour. Selon certains récits, la nymphe **ÉCHO** tomba amoureuse de lui, mais il la repoussa, si bien que la nymphe dépérit jusqu'à disparaître et il ne subsista plus d'elle que sa voix gémissante. Pour punir Narcisse, **ARTÉMIS** le rendit amoureux de son propre reflet dans une source. Il se pencha, essayant en vain de saisir son reflet, et mourut le cœur brisé. À cet endroit naquit la belle fleur qui porte son nom.

•

NÉMÉSIS Déesse personnifiant la vengeance divine. Elle punit ceux qui se montrent coupables d'un orgueil démesuré, dont la chance est trop insolente, ou encore qui commettent des méfaits. On la représentait souvent portant une balance dans une main et un fouet dans l'autre.

•

NÉRÉIDES Nymphes de la mer, parmi lesquelles **THÉTYS**, **AMPHITRITE** et Galatée.

•

NIOBÉ Fille de **TANTALE**, elle déclara un jour que ses enfants étaient plus beaux que ceux de Léto, qui demanda à ses enfants, **APOLLON** et **ARTÉMIS**, de la venger. Ils tuèrent de leurs flèches tous les enfants de Niobé, qui fut elle-même transformée en un rocher d'où coulait une source, les larmes de Niobé.

•

ŒDIPE Fils de Laïos et de Jocaste, qui régnaient sur Thèbes. Un oracle déclara qu'il tuerait son père et épouserait sa mère.

Pour déjouer l'oracle, on abandonna l'enfant dès sa naissance pour l'offrir à la mort, mais il fut recueilli et grandit à la cour de Corinthe. Ignorant tout de ses origines, il rencontra un jour son père, se querella avec lui et le tua. Puis il épousa la veuve. La prédiction s'était accomplie. La peste, châtiment envoyé par les dieux, ravagea alors la ville de Thèbes. Lorsqu'il apprit la vérité sur sa naissance, Œdipe se creva les yeux et partit en exil.

Thésée tua le Minotaure et sortit du Labyrinthe construit par Dédale, grâce au fil que lui avait remis la belle Ariane.

Orphée jouait si bien de sa lyre qu'il charma les divinités infernales. Elles le laissèrent emmener son épouse Eurydice à la seule condition qu'il ne se retourne pas. Mais, alors qu'ils arrivaient à la lumière, il ne put s'empêcher de la regarder et la perdit définitivement.

ORESTE Fils d'**AGAMEMNON** et de **CLYTEMNESTRE**, il avait quitté le palais royal au moment où son père revenait de Troie. Lorsqu'il apprit que ce dernier avait été assassiné par Clytemnestre et son amant, Oreste revint au palais et les tua tous les deux.

ORION Chasseur géant, à qui son père **POSÉIDON** avait donné le pouvoir de marcher sur la mer. Orion ayant essayé de faire violence à **ARTÉMIS**, la déesse lui envoya un scorpion qui le piqua au talon. Le scorpion fut transformé en constellation et les dieux accordèrent le même sort à Orion. C'est ainsi que, dans le ciel, la constellation d'Orion fuit éternellement devant celle du Scorpion.

ORPHÉE Chanteur, musicien et poète, il a appris d'**APOLLON** l'art de jouer de la lyre, et c'est lui qui a introduit chez les hommes la musique et le chant. Quand il chantait, les rochers et les bêtes fauves dansaient sur sa musique. Il fut tué par les **MÉNADES**, qui déchirèrent son corps.

OURANOS Premier dieu du ciel. Craignant qu'un de ses enfants ne le détrône, il les repoussait tous dans le ventre de son épouse

GAIA, la terre. Son fils **CRONOS**, aidé de Gaia, le priva effectivement de son pouvoir. Les Grecs ne lui ont jamais rendu de culte.

PAN Dieu de la nature sauvage, son front porte deux cornes et il joue de sa flûte pour charmer les animaux. Bon vivant, il a su réjouir *tous* les dieux, d'où son nom qui, en grec, signifie « tout ». Volontiers compagnon de **DIONYSOS**, il est un peu effrayant quand il apparaît brutalement et provoque précisément des « paniques ».

PANDORE La première femme, créée par **ATHÉNA** et **HÉPHAISTOS**, offerte aux hommes par **ZEUS** pour les punir d'avoir reçu le feu volé aux dieux par **PROMÉTHÉE**. Pandore était venue sur terre avec une jarre bien fermée, qu'elle finit par ouvrir, ne sachant résister à sa curiosité. La jarre était remplie de tous les maux, qui s'échappèrent et se répandirent dans le monde. Au fond de la « boîte de Pandore », seule resta l'Espérance.

PÂRIS Fils de **PRIAM**, roi de Troie, et d'Hécube. Suite aux manigances d'**ÉRIS**, il déclara qu'**APHRODITE** était la plus belle des déesses, et celle-ci le récompensa en lui offrant la plus belle des mortelles, **HÉLÈNE**. Pâris enleva donc Hélène, épouse du roi de Sparte Ménélas, provoquant ainsi la guerre de Troie. Il tua **ACHILLE** d'une flèche au talon avant de mourir sur le champ de bataille.

PÉGASE Cheval ailé qui s'élança du cou de **MÉDUSE** lorsqu'elle fut décapitée par **PERSÉE**. **BELLÉROPHON** le chevauchait lorsqu'il eut l'audace de s'élever vers l'Olympe. Les dieux envoyèrent alors un taon piquer le cheval, qui désarçonna son cavalier. Bellérophon fut précipité sur la terre et se tua. Pégase se mit alors au service de **ZEUS**.

PÉLOPS Fils de **TANTALE**. Pour se marier avec Hippodamie, il dut se mesurer avec le père de la jeune fille, Œnomaos, dans une course de chars. Pélops l'emporta et créa les jeux Olympiques à l'emplacement même d'où la course était partie.

PÉNÉLOPE Alors que son époux **ULYSSE** était parti à la guerre de Troie, Pénélope fut harcelée par une nuée de prétendants qui essayaient de la convaincre qu'elle était veuve. Elle promit d'épouser l'un d'entre eux quand elle aurait fini de tisser le linceul de Laerte, son beau-père. Mais la nuit, elle défaisait le travail du jour, et prolongea ainsi son répit jusqu'au retour d'Ulysse, vingt ans plus tard.

•

PERSÉPHONE Fille de **DÉMÉTER**. **HADÈS** enleva Perséphone et l'emmena dans son royaume des Enfers.
Le chagrin de Déméter fut tel qu'il fut accordé à Perséphone de passer la moitié de l'année auprès de sa mère, époque du printemps et du renouveau de la végétation. En hiver, elle demeure auprès d'Hadès et la terre ne produit plus rien.

•

PERSÉE Fils de **ZEUS** et de **DANAÉ**. Il trancha la tête de **MÉDUSE**, l'une des **GORGONES**, et en fit don à la déesse **ATHÉNA**, qui la plaça au centre de son bouclier.
Au retour de son expédition, Persée épousa **ANDROMÈDE**, qu'il avait délivrée d'un monstre marin.

•

PHAÉTON Fils d'**HÉLIOS**, le soleil. Un jour, il voulut conduire le char de son père et faillit, par inexpérience, embraser l'univers en perdant le contrôle des chevaux alors qu'il approchait de la voûte céleste. **ZEUS** n'eut d'autre recours que de le foudroyer et de le précipiter dans la mer où il s'écrasa.

•

POSÉIDON Dieu de la mer, des chevaux et des tremblements de terre. Son frère **ZEUS** lui accorda le royaume de la mer après la victoire des dieux de l'Olympe sur les **TITANS**. Poséidon, armé de son trident (don des **CYCLOPES**), commande aux tempêtes.

•

PRIAM Roi de Troie, il fut tué lorsque les Grecs prirent la ville après un siège de dix ans. Priam avait souhaité mettre un terme à la guerre en renvoyant **HÉLÈNE**, mais ses fils **HECTOR** et **PÂRIS** s'y étaient opposés.

•

PROMÉTHÉE Fils du **TITAN** Japet et de l'Océanide Clyméné. Après la victoire

des dieux sur les Titans, il devint le bienfaiteur de l'humanité. Mais il vola un jour le feu divin et en fit don aux hommes : il fut alors puni pour l'éternité par **ZEUS**. Le dieu l'enchaîna à un rocher et envoya un aigle pour lui dévorer le foie, qui renaissait éternellement.

•

PYGMALION Roi de Chypre qui ne trouvait pas de femme assez parfaite pour devenir son épouse. Il fit alors sculpter une statue en ivoire de la femme idéale. **APHRODITE** lui insuffla la vie et Pygmalion épousa celle qu'il nomma Galatée.

•

SATYRES Compagnons de **DIONYSOS**. Ils ont le corps d'un homme, mais des oreilles pointues, la queue d'un cheval et souvent des sabots de bouc. Leur nature animale les porte à poursuivre dans les bois les nymphes et les **MÉNADES** dès que leurs danses et leurs beuveries en compagnie de Dionysos leur en laissent le temps.

•

SCYLLA Belle nymphe courtisée par Glaucos, divinité marine. La magicienne **CIRCÉ** en fut jalouse et, pour se venger d'elle, la transforma en monstre marin à corps de femme, lui donnant à la place des jambes six chiens féroces. Sa demeure était une caverne

Persée rapporte la tête de Méduse sur l'île de Sériphos, à la cour du roi Polydectès où sa mère Danaé séjourne. Ayant découvert que Polydectès cherchait à faire violence à Danaé, Persée brandit la tête de Méduse : le roi et toute sa cour sont transformés en statues de pierre.

Lorsque Tantale, l'affamé, tendait la main pour attraper les fruits succulents qui poussaient au-dessus de sa tête, les branches s'écartaient hors de sa portée. Lorsqu'il tendait les lèvres pour boire l'eau dans laquelle il était plongé jusqu'au cou, l'eau fuyait.

situé en face de la monstrueuse **CHARYBDE**. Lorsque les navigateurs n'étaient pas engloutis par celle-ci, ils se faisaient dévorer par les chiens de Scylla. Seul **ULYSSE** réussit à en réchapper.

SILÈNE Le plus âgé des **SATYRES**, qui éleva **DIONYSOS**. Très laid, il avait le gros ventre des ivrognes.

SIRÈNES Démons marins, mi-femmes, mi-oiseaux. Leurs chants merveilleux attiraient les marins vers une mort certaine. Lors de son voyage de retour, **ULYSSE** se fit attacher au mât de son navire pour les entendre sans être entraîné, tandis que ses matelots s'étaient bouché les oreilles avec de la cire d'abeille.

SISYPHE Roi de Corinthe, il dénonça **ZEUS** qui venait d'enlever la nymphe Égine. Il réussit ensuite à tromper la mort mais, pour éviter qu'il ne s'évade des Enfers, les dieux lui imposèrent de rouler éternellement un rocher jusqu'au sommet d'une colline.

Arrivé en haut, le rocher dévalait la colline et Sisyphe n'avait plus qu'à recommencer sa tâche.

SYRINX Nymphe des bois aimée de **PAN**. Au moment où il allait l'attraper, au bord d'une rivière, elle appela à l'aide et les nymphes de la rivière la transformèrent en roseau. Avec des roseaux, Pan se fit une flûte, que nous appelons « flûte de Pan » et que le dieu, en souvenir de la nymphe, appela « syrinx ».

TANTALE Fils de **ZEUS**, Tantale régnait sur le mont Sipyle. Il était toujours le bienvenu aux festins des dieux jusqu'au jour où il voulut les mettre à l'épreuve en leur servant son fils **PÉLOPS** préparé en ragoût. Les dieux s'en aperçurent aussitôt et rendirent la vie à Pélops. Tantale fut alors plongé aux Enfers jusqu'au cou, dans un bassin, et voué pour l'éternité à la soif et à la faim.

TÉLÉMAQUE Fils d'**ULYSSE** et de **PÉNÉLOPE**. Lorsque son père partit pour Troie, il était trop jeune encore pour s'opposer aux prétendants de sa mère. Devenu grand, il partit à la recherche de son père et, à son retour, l'aida à massacrer les prétendants.

THÉSÉE Fils du roi d'Athènes Égée ou, selon certains récits, fils de **POSÉIDON**. Thésée éprouvait une grande admiration pour les hauts faits d'**HÉRACLÈS**, et il se destina très jeune à devenir héros. Comme son modèle, il terrassa bon nombre d'ennemis et de monstres. Lorsqu'il eut tué le **MINOTAURE** grâce à l'aide d'**ARIANE**, il revint à Athènes. Distrait, il oublia de remplacer la voile noire de son navire par une voile blanche qui devait annoncer son succès au roi Égée. Le croyant perdu, Égée se jeta dans la mer qui depuis porte son nom.

TÉTHYS La plus célèbre de toutes les **NÉRÉIDES**. Lorsque le mortel Pélée chercha à l'épouser, Téthys se transforma successivement en divers animaux marins que Pélée ne parvenait pas à attraper. Il finit cependant par obtenir gain de cause, et ils eurent pour fils le héros **ACHILLE**.

TIRÉSIAS Célèbre devin, rendu aveugle par **HÉRA**, qui s'était jugée offensée par lui. Renommé pour sa sagesse et ses prophéties, il révélait les vérités les plus inaccessibles. C'est lui qui annonça à **ŒDIPE** qu'il avait tué son père et épousé sa mère.

•

TITANS Créatures légendaires de taille gigantesque nées de l'union de **GAIA** et d'**OURANOS** (voir p. 80).

•

ULYSSE Héros grec renommé pour son intelligence et sa ruse, qui prit part à la guerre de Troie. Son retour dura dix ans, contrarié par **POSÉIDON**, qui lui était hostile. Au cours de son voyage, il eut maintes aventures et rencontra quantité de monstres et de magiciens. Lui seul survécut. Tous ses hommes furent tués ou se noyèrent en route, les derniers en tuant quelques-uns des bœufs sacrés d'Hypérion pour les manger. Lorsqu'il atteignit sa patrie, l'île d'Ithaque, en mer Ionienne, après vingt ans d'absence, il se déguisa en mendiant. Avant de goûter un repos bien mérité, il lui fallut encore tuer la centaine de prétendants installés dans son palais et qui harcelaient sa fidèle épouse **PÉNÉLOPE**. Le poète Homère raconte ses multiples aventures dans *L'Odyssée*.

•

ZÉPHYR Le vent d'Ouest, fils d'**ÉOS**, la déesse de l'aube. Amoureux du beau Hyacinthos, il fut supplanté par le dieu **APOLLON**. Pour se venger, Zéphyr dévia un disque lancé par Apollon, qui blessa mortellement Hyacinthos.

•

ZEUS Dieu de la justice, il régnait sur l'Olympe. Élevé en secret par des nymphes, Zeus donna à son père **CRONOS** un breuvage qui lui fit recracher tous les enfants qu'il avait avalés. Avec ses frères et sœurs, Zeus réussit à vaincre Cronos et les **TITANS**. Il bénéficia également de l'appui des **CYCLOPES**. Zeus régna parmi la nouvelle génération des dieux, brandissant la foudre pour en frapper ses ennemis. Il épousa **HÉRA** mais la trompa moult fois, tant avec de jolies mortelles qu'avec des divinités. Pour les séduire, il n'hésita pas à se déguiser. Il eut ainsi de nombreux enfants, qui furent souvent victimes de la haine farouche d'Héra.

Héraclès, conduit sur l'Olympe par Athéna, protectrice des héros, est accueilli parmi les immortels par son père Zeus.

ROME

Les Romains disaient que leur peuple avait pour fondateur **ÉNÉE**, un guerrier troyen qui avait échappé aux massacres lors de la chute de Troie. Sa mère, la déesse Aphrodite (Vénus), le tenait sous sa protection et le guida vers le pays où il devait s'établir et régner. Après un long périple peuplé de dangers en Méditerranée, Énée finit par arriver en Italie. Le poète Virgile raconte ce périple dans *L'Énéide*, pièce maîtresse de la littérature latine.

"LA VILLE ÉTERNELLE"

Selon la légende, la fondation de Rome date de 753 av. J.-C. et ses fondateurs, les jumeaux **ROMULUS** et Rémus, étaient descendants d'Énée. Lors d'une dispute au moment de tracer l'enceinte de la ville, Romulus tua son frère et fut le premier à régner sur Rome.

Six siècles plus tard, les Romains conquirent la Grèce et puisèrent abondamment dans la mythologie grecque par la voie des œuvres d'art et de la littérature. C'est ainsi que la mythologie romaine associe les mythes et légendes du monde grec à ceux du monde romain.

Les Romains ayant adopté les mythes grecs, de nombreuses divinités grecques et romaines se confondirent. Voici une liste des principales divinités romaines. À côté de chacune est donné, entre parenthèses, son équivalent grec.

JUPITER
Le roi des dieux (Zeus)

JUNON
Épouse de Jupiter (Héra)

MINERVE
Déesse de la science et de la sagesse (Athéna)

PLUTON
Dieu des Enfers (Hadès)

NEPTUNE
Dieu de la mer (Poséidon)

BACCHUS
Dieu de la vigne et de la fertilité (Dionysos)

DIANE
Déesse de la chasse (Artémis)

VÉNUS
Déesse de l'amour (Aphrodite)

APOLLON
Dieu de la lumière, de la médecine et de la musique (Apollon)

CÉRÈS
Déesse de l'agriculture (Déméter)

MARS
Dieu de la guerre (Arès)

VULCAIN
Dieu forgeron (Héphaistos)

CUPIDON
Dieu de l'amour (Éros)

MERCURE
Messager des dieux (Hermès)

Rome possédait d'innombrables temples, chacun consacré à un dieu ou à une déesse différente, ou encore à un empereur, dont plusieurs furent divinisés après leurs mort.

Le Sénat décidait solennellement quel empereur devait ou non être divinisé.

LES LÉGENDES ROMAINES

Bien que les dieux romains soient souvent la réplique exacte des dieux grecs, les Romains considéraient que certaines de leurs divinités et de leurs légendes appartenaient à une tradition qui ne devait rien aux Grecs. Ainsi, ils affirmaient que leur empire était l'œuvre d'hommes ayant réellement existé et non de demi-dieux. Énée, malgré ses hauts faits, était donc représenté comme un homme doué de sentiments et de faiblesses bien humaines. Les femmes jouent également un rôle important dans les légendes romaines : Lucrèce, qui se tua après avoir été violée par un fils du tyran Tarquin, devint un exemple de vertu et d'honneur. La superstition des Romains se manifestait en toutes circonstances. Les *genii*,

ou esprits, étaient présents non seulement en chaque individu, mais aussi en tout lieu, à la campagne comme à la ville. Il fallait tenir compte de leur présence, les honorer et veiller à les satisfaire. Chaque famille honorait ses divinités domestiques. Les **PÉNATES** protégeaient le foyer et le garde-manger, c'est-à-dire les richesses de la famille. Les **LARES** veillaient sur le bonheur et la prospérité de la maisonnée. Chaque jour, des offrandes — vin, gâteaux et encens — étaient proposées sur l'autel domestique à ces divinités, souvent représentées par des statues d'adolescents vêtus d'une tunique et tenant à la main une corne d'abondance. Le *genius* de la famille était l'esprit associé au chef de

famille. Il était vénéré par tous, y compris les esclaves. Les lieux publics et les institutions avaient aussi leurs Lares, protecteurs de la vie publique, auxquels on rendait un culte lors de cérémonies officielles. Le génie de l'empereur était une puissance redoutable qui symbolisait le pouvoir de l'État. Toute négligence dans le culte de ces divinités pouvait attirer le désastre sur la cité ou sur la maisonnée. Au fur et à mesure que s'étendait leur empire, les Romains admirent maintes divinités et de nombreux mythes étrangers, au point de les faire parfois entrer dans leurs pratiques religieuses. C'est ainsi que le culte du dieu perse **MITHRA** se répandit rapidement.

Lorsqu'un taureau était sacrifié, un prêtre examinait son foie pour dire si le sacrifice était agréé par la divinité.

ÉNÉE D'origine troyenne, Énée était fils de la déesse Aphrodite et du mortel Anchise. Selon la légende, il échappa aux massacres lorsque Troie tomba aux mains des Grecs. Il s'enfuit à bord d'un navire pour accomplir son destin qui était de fonder une nouvelle Troie en Italie.

Au cours de son voyage, il rencontra Didon, reine de Carthage. Ils s'aimèrent, mais les dieux ne lui permirent pas de rester et le contraignirent à poursuivre sa route. Tandis que son navire s'éloignait, Didon alluma son propre bûcher et se donna la mort au milieu des flammes.

Sur les conseils de la **SIBYLLE DE CUMES**, Énée cueillit le Rameau d'or, non loin du lieu où la sibylle rendait des oracles. Grâce à ce rameau, il put descendre aux Enfers, où il apprit quel était le destin de Rome et de son peuple.

•

CYBÈLE Déesse de la nature et de la fertilité. Son culte vient d'Asie Mineure (aujourd'hui la Turquie) et fut introduit à Rome en 204 av. J.-C., après consultation de l'oracle de Delphes.

FAUNA et **FAUNUS** Dieux bienfaisants. Fauna est une déesse champêtre, à laquelle les femmes adressent leurs prières pour qu'elle favorise leur fécondité. Son époux Faunus, mi-homme, mi-bouc, est le dieu protecteur des troupeaux et des bergers. Il possède également le don de divination.

•

FLORE Déesse à l'éternelle jeunesse de toute la végétation qui fleurit. Une fête était donnée en son honneur, au printemps, pour assurer d'abondantes récoltes.

•

GÉNIUS Esprit invisible, présent en toute chose et en tout lieu. Il naît en même temps que l'homme ou la chose à laquelle il est lié, et les protège pendant toute leur existence. Le genius des personnalités importantes était souvent vénéré, de leur vivant comme après leur mort.

•

JANUS Divinité aux deux visages, l'un regardant devant, l'autre derrière, sans équivalent chez les Grecs. Dieu des entrées et des commencements, il a donné son nom au premier mois de l'année, janvier. En temps de paix, les portes de son temple étaient fermées ; on les ouvrait en temps de guerre afin qu'il puisse intervenir en faveur des Romains.

•

LARES et **PÉNATES** Les dieux Lares protégeaient la maison, ses habitants et les terres environnantes, tandis que les Pénates veillaient sur les biens et les réserves de la famille. Le culte de ces divinités, ainsi que celui du **GÉNIUS**, se rendait sur l'autel domestique, le Lararium.

•

LAVINIA Fille de Latinus, roi du Latium, et petite-fille de **FAUNUS**. Elle épousa **ÉNÉE** après que celui-ci eut tué son fiancé Turnus. Selon certains récits, c'est elle qui donna au peuple romain sa langue, le latin.

Lorsque Énée abandonna Didon, la reine de Carthage, pour suivre son destin, la malheureuse se jeta dans les flammes.

MANES Ce sont les âmes des ancêtres. Elles étaient l'objet d'un culte familial et recevaient des offrandes. Les âmes tourmentées, les *larvae*, étaient des fantômes qui hantaient les vivants.

•

MITHRA Dieu perse dont le culte se répandit lors de la conquête de l'est du bassin méditerranéen par les Romains. Mithra était souvent représenté comme un jeune homme sacrifiant un taureau. Par ce sacrifice, ses adorateurs croyaient qu'il récompensait ceux qui mouraient en héros en leur assurant une vie dans l'au-delà. C'est ainsi que son culte, auxquelles les femmes ne pouvaient assister, était très répandu parmi les soldats romains.

•

PÉNATES (voir **LARES**)

•

ROMULUS Fils de Rhea Silvia, vestale qui avait été violée par le dieu de la guerre Mars. La légende lui attribue la fondation de Rome, en 753 av. J.-C. À sa naissance, il fut placé dans une corbeille avec son frère jumeau Rémus et la corbeille fut confiée aux eaux du Tibre. Elle s'échoua à l'emplacement de la future Rome, et les deux frères furent d'abord allaités par une louve, puis recueillis par un berger. Au moment de tracer l'enceinte de la ville qu'ils voulaient fonder, Romulus tua son frère au cours d'une violente dispute et régna seul sur Rome. Selon la légende, Romulus disparut au cours d'un orage, avant de réapparaître en songe à un citoyen romain et lui révéla qu'il avait été enlevé par les dieux. Les Romains le vénérèrent sous le nom de Quirinus.

•

SIBYLLE DE CUMES Prophétesse qui vivait dans une caverne à Cumes, en Italie. Elle conseilla **ÉNÉE** pour lui permettre de descendre aux Enfers, où il apprit quel serait le destin du peuple romain. Ses prophéties étaient consignées par écrit dans les *Livres sibyllins*, conservés dans un temple sur le Capitole, à Rome. Ils furent détruits lors de l'incendie du temple.

•

VESTA Déesse du foyer à laquelle un temple, de forme ronde, était consacré sur le Forum romain. Les vestales, prêtresses vouées à la virginité, y entretenaient la flamme sacrée.

La déesse de la fertilité Cybèle est souvent représentée sur un char tiré par des lions, le berger Attis à ses côtés. Son culte s'accompagne parfois de musique et de danses effrénées.

L'EXTRÊME-ORIENT

On trouve dans cette partie du monde quelques-unes des civilisations et des mythologies les plus anciennes. Certains mythes chinois sont vieux de près de quatre mille ans. En Inde, berceau de l'hindouisme et du bouddhisme, les premiers textes sacrés furent écrits il y a plus de trois millénaires.

Les mythes et légendes de ce pays sont aujourd'hui aussi vivants qu'à leur naissance, et leur influence s'est répandue dans tout l'Extrême-Orient. Tandis que la mythologie hindoue gagnait l'Indochine, puis l'Insulinde, en passant par la Birmanie, la tradition et les récits bouddhiques se sont propagés vers l'est, jusqu'au Japon. Certaines croyances se retrouvent dans toute l'Asie : esprits et fantômes, animaux fabuleux, serpents ou dragons. L'apparition du bouddhisme et de l'hindouisme a certainement transformé nombre des mythes asiatiques originels ainsi que, plus récemment, le christianisme et l'islam.

En Asie, les mythes sont d'une grande complexité. Les dieux indiens revêtent de nombreuses formes ; des centaines de dieux chinois peuplent la terre, le ciel et les Enfers. Dans les mythologies japonaise et chinoise, les personnages se déplacent d'un royaume à l'autre, tandis qu'en Inde les dieux demeurent en général au ciel. Les récits des origines occupent une place très importante en Insulinde, en Chine et au Japon, alors qu'ils semblent inexistants en Inde.

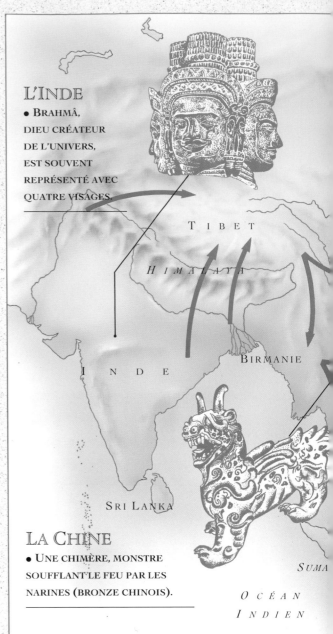

L'INDE
● BRAHMÂ, DIEU CRÉATEUR DE L'UNIVERS, EST SOUVENT REPRÉSENTÉ AVEC QUATRE VISAGES.

LA CHINE
● UNE CHIMÈRE, MONSTRE SOUFFLANT LE FEU PAR LES NARINES (BRONZE CHINOIS).

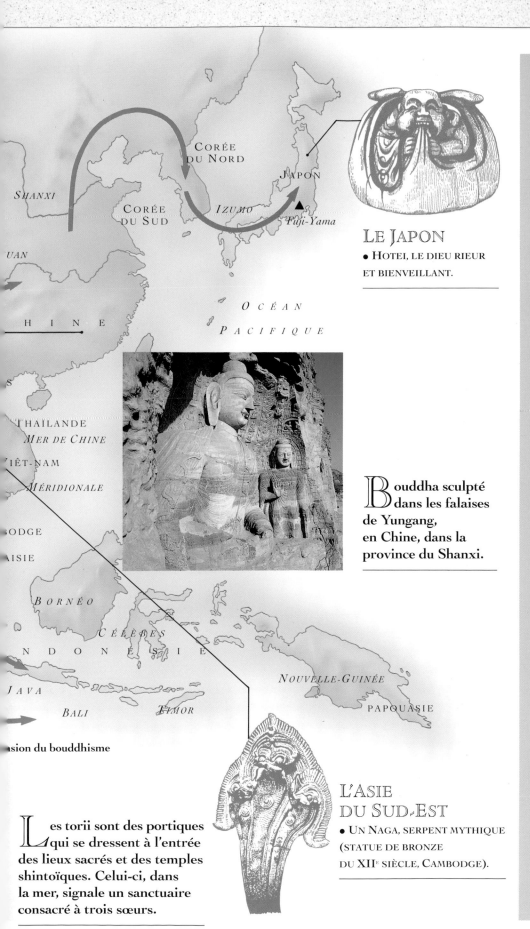

LE JAPON

● HOTEI, LE DIEU RIEUR
ET BIENVEILLANT.

OCÉAN
PACIFIQUE

Bouddha sculpté
dans les falaises
de Yungang,
en Chine, dans la
province du Shanxi.

...sion du bouddhisme

Les torii sont des portiques
qui se dressent à l'entrée
des lieux sacrés et des temples
shintoïques. Celui-ci, dans
la mer, signale un sanctuaire
consacré à trois sœurs.

L'ASIE
DU SUD-EST

● UN NAGA, SERPENT MYTHIQUE
(STATUE DE BRONZE
DU XIIᵉ SIÈCLE, CAMBODGE).

v. 4000 av. J.-C.
Période de Yangshao: petits
villages néolithiques,
poterie peinte caractéristique

v. 1500
Les Aryens s'établissent dans
le nord de l'Inde. Leurs textes
sacrés, les *Védas*, sont à
l'origine de la tradition hindoue

563
Naissance du Bouddha dans
le nord de l'Inde

551
Naissance de Confucius,
dont Lao-Tseu aurait
été le contemporain, mais
aucune source ne permet
de l'affirmer

273
Asoka, de la dynastie maurya,
devient souverain de l'Inde.
Il se convertit au bouddhisme
au cours de son règne

136
Le confucianisme, religion
officielle en Chine

●

Iᵉʳ siècle ap. J.-C.
Introduction du bouddhisme
en Chine

IIIᵉ siècle
Fondation de deux empires
hindous, en Malaisie
et en Indonésie

594
Le bouddhisme, religion officielle
au Japon

624
Le bouddhisme, religion officielle
en Chine

629
Le prêtre Xuan Zang se rend
de Chine en Inde pour en
rapporter les écrits bouddhiques

712
Le recueil du *Kojiki* est offert
à l'impératrice du Japon

XVᵉ siècle
L'influence de l'islam s'étend
dans les îles du Sud-Est asiatique

L'INDE

Vieux de plusieurs millénaires, l'hindouisme est l'une des plus anciennes religions du monde. Première religion en Inde, il compte plus de huit cents millions d'adeptes. À la différence du bouddhisme ou du christianisme, l'hindouisme n'est pas né des enseignements d'un seul homme, mais s'est élaboré au fil des siècles, assimilant l'apport de nombreuses cultures et religions différentes. C'est ce qui explique sa complexité et la richesse de la mythologie indienne. Ses racines se trouvent dans les *Védas* (« Livres du savoir »), recueil d'hymnes et de chants sacrés. Leur composition remonte à plus de trois mille ans, mais pendant longtemps on jugea qu'ils ne pouvaient, de par leur caractère sacro-saint, être transcrits. Dans ces hymnes, les dieux védiques personnifient les éléments et les manifestations de la nature. **VARUNA**, l'une des plus anciennes divinités védiques, est le dieu du ciel, de la mer et des cours d'eau. Le redoutable **INDRA** est le dieu suprême de ce panthéon.

LA VIE APRÈS LA MORT

Les hindous vénèrent le soleil, la terre et le ciel, et croient à la réincarnation : au moment de la mort, l'âme migre dans tel ou tel autre corps ou dans tel objet, en fonction du comportement que chacun aura mené au cours de son existence.

LA TRIMOURTI

Les croyances contenues dans les *Védas* ont peu à peu donné corps à l'hindouisme. Les dieux védiques s'effacèrent ensuite pour laisser la prééminence à la Trimourti, trinité formée des trois dieux **BRAHMÂ**, **VISHNOU** et **SHIVA**. Ils sont devenus les trois divinités principales de l'hindouisme et, à leurs côtés, une entité abstraite, désignée sous l'appellation de *brahmane* correspond à l'absolu éternel, à l'esprit universel. De nombreux personnages de la mythologie hindoue se recoupent et sont apparentés. Certains dieux se réincarnent sous différentes formes, des « avatars ». C'est ainsi que Vishnou est apparu à neuf reprises sur terre pour venir en aide aux hommes. Ses avatars les plus connus sont **RAMA** et **KRISHNA**.

Dans l'épopée hindoue du *Mahabharata*, un chef de guerre mortellement blessé à la bataille enseigne à ceux qui l'écoutent l'art de bien gouverner.

LE MAHABHARATA

Ce grand poème épique (IVᵉ siècle av. J.-C.) présente certains des héros hindous les plus importants, parmi lesquels **ARJUNA**. Il a pour thème central la guerre qui oppose deux familles, les Kaurava et les Pandava. Cette épopée de la lutte entre le bien et le mal se termine par la victoire du bien. L'un des livres qui la composent est un poème philosophique, la *Bhagavad-Gita* (« Chant du bienheureux Seigneur »). Autre grand poème hindou, le *Ramayana* décrit les aventures de Rama, parti en quête de son épouse **SITA**, enlevée par **RAVANA**, le roi des démons.

Si les mythes hindous occupent une place essentielle en Inde, ce pays est aussi le berceau d'une autre grande religion : le bouddhisme. Son fondateur, Siddhartha **GAUTAMA**, prince indien qui vécut au VIᵉ siècle av. J.-C., fut d'abord profondément ému par la souffrance du monde. Il renonça alors aux privilèges, désireux de connaître le sens de la vie. Après six ans de méditation, il crut avoir trouvé les réponses recherchées et fut dès lors appelé le Bouddha.

Ses enseignements gagnèrent toute l'Inde, puis se répandirent en Asie. En Inde, le bouddhisme fut assimilé par l'hindouisme, qui considère le Bouddha comme un avatar de Vishnou.

Vishnou revêt plusieurs formes, ou avatars, parmi lesquels :

1 — Matsya le poisson ;
2 — Narasimha l'homme-lion ;
3 — Krishna ;
4 — Parashu-rama ;
5 — Kalkin
(voir p. 109).

Voici comment les dieux obtinrent l'*amrita*, eau de vie éternelle, en barattant la Mer de Lait : d'abord apparut à la surface Surabhi, la vache qui a le pouvoir d'exaucer tous les vœux ; après Varuni, divinité du vin, et Parijata, l'arbre céleste dont les fleurs parfument le monde, vinrent la lune et Lakshmi, déesse de la beauté et de l'abondance ; enfin parut l'amrita.

ADITYA Déesse-mère. Selon les *Védas*, elle est l'épouse de **VISHNOU**. Mais lorsque celui-ci vient sur terre sous l'aspect du nain Vamana, l'une de ses incarnations, Aditya est mentionnée comme sa mère. Elle est mère des Adityas, les dieux des mois de l'année : Ansa, Aryaman, **BHAGA**, **DAKSHA**, Dhatri, Hitra, **INDRA**, Ravi, **SAVITRI**, **SURYA**, **VARUNA** et **YAMA**.

●

AGNI Dieu du feu. Avec **INDRA** et **SURYA**, il est l'un des trois principaux dieux des *Védas*. Il est à la fois le feu sacrificiel et le feu du foyer domestique, celui qui apporte la chaleur et cuit les aliments. Dans un épisode du *Mahabharata*, Agni, à bout de forces, est épuisé d'avoir consommé un trop grand nombre d'offrandes. Pour retrouver son énergie, il est contraint de brûler une forêt. Agni est aussi le dieu du mariage : les nouveaux époux font sept fois le tour d'un feu pour que le dieu bénisse leur union.

AMRITA Eau de la vie éternelle, que les dieux obtinrent en barattant la Mer de Lait. Avec l'aide des démons, ils battirent le lait en enroulant un serpent à mille têtes autour d'une montagne, les dieux tirant d'un côté et les démons de l'autre. Pour leur venir en aide, **VISHNOU** prit la forme d'une tortue et de son dos fournit un pivot sur lequel la montagne put s'appuyer. Ensuite, tout en restant invisible, il s'assit au sommet de la montagne pour joindre son énergie à celle des dieux, qui créèrent finalement le breuvage de l'immortalité. Mais les démons s'en emparèrent. S'ils parvenaient à en boire, ils deviendraient eux-mêmes immortels et beaucoup plus puissants que les dieux. Vishnou se transforma alors en une femme d'une beauté éblouissante, pour laquelle les démons entreprirent aussitôt de se battre. Pendant qu'ils se disputaient, Vishnou leur reprit l'amrita et en fit don aux dieux.

ARJUNA L'un des cinq frères Pandava, héros guerrier du *Mahabharata* dans la guerre qui oppose les Pandava et les Kaurava. Juste avant le début de la bataille, au centre de l'épopée, la conversation entre Arjuna et **KRISHNA**, qui conduit son char et le conseille, constitue la *Bhagavad-Gita*, l'un des plus importants textes sacrés hindous.

•

BALARAMA Frère aîné de **KRISHNA**. Selon le *Mahabharata*, **VISHNOU** s'arracha un cheveu blanc et un cheveu noir et féconda, avec chacun, une femme différente. Balarama eut ainsi la peau claire et Krishna la peau foncée. Les deux frères furent élevés ensemble et partagèrent de nombreuses aventures.

•

BHARATA Demi-frère du prince **RAMA**, le héros du *Ramayana*. Lorsque Rama fut envoyé en exil, Bharata refusa de régner à sa place ; il se rendit dans la forêt pour prier son frère de revenir, mais ce dernier refusa. Bharata régna alors en son nom pendant quatorze ans, avant de céder le trône dès le retour de son frère. Cette loyauté inspira aux hindous le nom qu'ils donnent à l'Inde : *Bharata-Varsha* (« pays de Bharata »).

•

BRAHMÂ Première divinité de la Trimourti, la trinité des dieux supérieurs, aux côtés de **SHIVA** et de **VISHNOU**. Créateur de l'univers, il serait lui-même né d'un œuf d'or qui flottait à la surface des eaux primordiales. Appelé aussi Prajapati (le « Seigneur et père de toute créature »), il est généralement représenté avec quatre visages, de couleur rouge ou or, et revêtu d'une robe blanche.

•

BOUDDHA (voir **GAUTAMA BOUDDHA**)

•

DAKSHA Fils de **BRAHMÂ**, il naquit du pouce gauche du dieu. Selon un récit, il invita un jour tous les dieux à un sacrifice mais oublia **SHIVA**. Pour se venger de l'insulte qui lui était faite, Shiva se présenta à la cérémonie et arracha la tête de Daksha, qu'il jeta dans le bûcher sacrificiel. La colère du dieu s'apaisa ensuite, et il donna à Daksha une tête de bouc à la place.

•

DEVI Déesse-mère aux multiples incarnations, certaines bienveillantes, d'autres redoutables.

Parmi les différentes formes sous lesquelles elle apparaît, elle est souvent l'épouse de **SHIVA**. Plusieurs déesses ont été décrites comme épouses du dieu, puis toutes furent confondues sous le nom de Devi (voir aussi **DURGA**, **KALI**, **PARVATI**).

•

DURGA Déesse guerrière, l'un des avatars de **DEVI**. Invincible à la bataille, Durga fut créée par les dieux pour anéantir un monstre qui mettait leur pouvoir en péril. Tenant une arme dans chacune de ses dix mains, la déesse abattit le monstre.

•

GANESHA Dieu de la sagesse, fils de **SHIVA** et de **PARVATI**. Selon une légende, sa mère, fière de lui, demanda au dieu Shani (Saturne) de jeter un regard sur Ganesha. Lorsque le dieu des planètes le regarda,

Garuda, roi légendaire des oiseaux, transporte Vishnou et son épouse Lakshmi.

Un poisson géant avertit Vaïvasvata, l'un des Manous, qu'un terrible déluge allait anéantir tous les êtres vivants. Il lui conseilla de se construire un bateau dans lequel il mettrait des semences et des animaux. Tandis que les eaux montaient, Vaïvasvata attacha une corde à la corne du poisson, et celui-ci le dirigea parmi les vagues jusqu'à ce que les eaux retrouvent leur niveau.

la tête de l'enfant fut réduite en cendres. **BRAHMÂ** conseilla à Parvati de remplacer la tête de son fils par celle du premier être qu'elle rencontrerait : ce fut un éléphant.

●

GARUDA Roi des oiseaux. Mi-aigle, mi-homme, **VISHNOU** se transporte sur son dos. Selon certains récits, il serait le soleil sous les traits d'un oiseau. Il est le grand ennemi des serpents et de toute forme de mal.

●

GAUTAMA BOUDDHA Prince du nord de l'Inde né en 563 av. J.-C., Siddhartha Gautama vécut d'abord dans le luxe. À l'âge de vingt-neuf ans, il prit conscience de la souffrance qui l'entourait et décida de renoncer à ses biens. Il partit en quête de l'illumination, afin de percer le mystère de la souffrance du monde et de découvrir comment y remédier. Après plusieurs années d'errance, il s'assit pour méditer sous un arbre *Bodhi* (« arbre de l'éveil ») et parvint à l'illumination. Il devint alors le Bouddha (« l'illuminé », « l'éveillé ») et consacra le reste son existence à enseigner ce qu'il avait découvert.

HANUMAN Fils du dieu du vent, il est le roi des singes, héros du *Ramayana*. Lorsque **SITA**, l'épouse de **RAMA**, fut enlevée par le démon **RAVANA**, il fut envoyé au secours de la déesse. Ravana le captura et mit le feu à sa queue, mais il s'échappa et propagea le feu dans tout le royaume du démon. Hanuman revint par la suite en compagnie de Rama et de l'armée des singes pour vaincre Ravana.

●

INDRA D'après les *Védas*, les hymnes hindous les plus anciens, il est la divinité suprême. Il est aussi le dieu de la guerre, de l'orage et du soleil. On le représente souvent avec quatre bras, armé d'un éclair et monté sur un éléphant blanc. Son importance s'affaiblira à mesure que s'affirmera celle des autres grands dieux de l'hindouisme.

●

KALI La plus redoutable des incarnations de **DEVI**. Elle fut envoyée sur terre pour anéantir une race de démons, mais elle provoqua de tels ravages que d'innombrables hommes périrent par sa faute. Pour mettre un terme au carnage, **SHIVA** se jeta par-dessus les monceaux de cadavres. Lorsque Kali découvrit qu'elle foulait aux pieds le corps de Shiva, elle recouvra enfin sa lucidité. Elle possède quatre bras : d'un côté, l'une de ses mains tient un sabre et l'autre une tête ensanglantée, symboles de destruction ; de l'autre côté, elle tient un livre saint et un chapelet, symboles de sa bienveillance. La ville de Calcutta aurait reçu son nom, *Kalighat* (« marches de Kali ») de cette terrible déesse.

●

KARTIKEYA Dieu de la guerre, fils de **SHIVA** et de **PARVATI**. Il est représenté avec six têtes et six bras. Il s'attaqua au démon géant Taraka et l'abattit, rétablissant par cet exploit la paix dans le ciel et sur la terre.

●

KRISHNA Huitième avatar de **VISHNOU**. Il est l'une des figures dominantes du *Mahabharata*, notamment dans la partie connue sous le nom de *Bhagavad-Gita*, qui constitue l'un des plus importants textes sacrés de l'hindouisme. Juste avant la bataille décisive, on y trouve la conversation entre **ARJUNA**, chef de guerre, et Krishna, qui lui sert de cocher. Krishna lui révèle le secret

de son identité et lui enseigne que le culte de Vishnou est la voie du salut.

•

LAKSHMI Épouse de **VISHNOU** et déesse de l'abondance, de la chance et de la beauté. Selon un récit, elle naquit de l'écume de l'océan au moment du barattage de la Mer de Lait, pour obtenir l'**AMRITA.**

•

MANOU Nom générique de quatorze souverains successifs, ancêtres de l'humanité. Le septième Manou, Vaïvasvata, sauva un jour un poisson minuscule, Matsya, qui n'était autre qu'un avatar de **VISHNOU.** Il le soigna et le poisson grandit si rapidement que bientôt seul l'océan put le contenir. Le poisson revint un jour voir Vaïvasvata et lui dit de se construire un bateau parce qu'un terrible déluge était imminent. Tous les êtres vivants furent anéantis, à l'exception de Vaïvasvata. Celui-ci offrit alors un sacrifice pour qu'on lui accordât une épouse. Son vœu fut exaucé par les dieux, et les enfants de cette union constituèrent la première génération des hindous actuels.

•

MAROUT Divinités des tempêtes, guerriers et compagnons d'**INDRA**, ce sont les fils de la déesse Diti. Alors que celle-ci était enceinte, l'enfant qu'elle attendait se brisa en éclats sous l'effet d'un éclair lancé par Indra. De chacun des éclats naquit un Marout, 60 selon certains récits, 27 selon d'autres.

•

NANDIN Animal sacré, taureau blanc de **SHIVA**. Selon certains récits, Nandin était un homme d'une grande sagesse devenu taureau. On trouve souvent une statue de taureau blanc à l'entrée des temples consacrés à Shiva.

•

OUSHA Déesse de l'aube dans les *Védas*. Sous l'apparence d'une belle jeune fille, elle pénètre dans toutes les maisons et comble les hommes de bien-être. Quoique éternellement jeune, c'est elle qui fait aussi vieillir les hommes.

•

PARVATI L'une des formes de la déesse **DEVI**. Elle est fille de l'Himalaya et son nom signifie « Fille de la montagne ». Elle était éprise de **SHIVA**, mais le dieu ne lui accordait

aucune attention aussi se retira-t-elle dans la montagne pour méditer. Un jour, un brahmane (prêtre hindou) lui rendit visite et lui demanda pour quelle raison elle vivait à l'écart du monde. Elle lui expliqua que Shiva était son seul désir. Le brahmane n'était autre que Shiva, et tous deux s'unirent alors.

•

PUSHAN Dieu de la prospérité. Il veille sur les routes, protège les troupeaux et guide les voyageurs. Invité par **DAKSHA**, il se rendit un jour à une cérémonie sacrificielle au cours de laquelle **SHIVA**, dans sa fureur, le frappa et lui fit perdre toutes ses dents. Depuis lors, il est le « Dieu édenté », contraint de se nourrir de bouillie. Il est souvent représenté dans un char tiré par des chèvres.

•

RAMA Avatar de **VISHNOU**, il est connu comme le prince héros du *Ramayana*. Fils aîné du roi d'Ayodhya Dasharatha, il est victime d'une intrigue de sa belle-mère et condamné à l'exil. Son épouse **SITA** est enlevée par **RAVANA**, roi des démons. Rama mène alors un combat

Le dieu de la guerre Kartikeya, également connu sous le nom de Skanda, était le fils de Shiva, mais il existe plusieurs versions à propos de sa lignée : selon certains récits, sa mère était Parvati ; selon d'autres, il est le fils de six déesses-étoiles. Kartikeya était représenté une lance à la main ou tenant un arc et une flèche.

SARASVATI Déesse de la sagesse, du savoir, de la musique et des arts. On lui attribue l'invention du sanskrit, langue des hindous. Elle est également l'épouse de **BRAHMÂ**, et d'une telle beauté que le dieu se dota de trois visages supplémentaires afin de ne jamais cesser de la voir.

•

SATI Épouse de **SHIVA** et l'une des incarnations de la déesse **DEVI**. Son nom signifie « Épouse loyale ». Lorsque tous les dieux se rendirent à l'invitation de **DAKSHA**, Sati éprouva une telle honte devant le comportement de Shiva, furieux de ne pas avoir été convié au sacrifice, qu'elle s'immola sur le bûcher. De cet acte viendrait la coutume selon laquelle, autrefois, une veuve se donnait la mort en se précipitant dans les flammes du bûcher funéraire de son mari. La déesse **PARVATI**, autre épouse de Shiva, serait une réincarnation de Sati.

•

SAVITRI Héroïne du *Mahabharata*, qui sut contraindre **YAMA**, dieu de la mort, à rendre à la vie son époux Satyavan. Dans les *Védas*, ce nom, qui signifie « générateur », est attribué à **SURYA**, dieu du soleil.

•

SHIVA L'un des trois grands dieux qui, avec **BRAHMÂ** et **VISHNOU**, forment la trinité, ou Trimourti. On l'appelle parfois « le Destructeur », mais son nom signifie « le Bon, le Gentil ». Son immense pouvoir de destruction est un bienfait qui anéantit l'ignorance et favorise la régénération. Il est souvent représenté avec un troisième œil qui, de son regard de feu, a le pouvoir d'illuminer ou d'anéantir. Lors du barattage de la Mer de Lait qui donna aux dieux l'**AMRITA**, le serpent qui était enroulé autour de la montagne cracha son venin, épuisé. Le poison menaçait de détruire la terre aussi Vishnou fit-il appel à Shiva, qui avala le venin. Sa gorge prit alors une couleur bleue. Sous l'une de ses innombrables formes, Shiva hante les cimetières dans lesquels il prélève des crânes pour en faire une funèbre guirlande.

•

SITA Épouse de **RAMA**, présentée comme un avatar (une réincarnation) de **LAKSHMI**. Elle fut enlevée par **RAVANA**, roi des démons,

S arasvati est la belle épouse de Brahmâ. Portée par son cygne blanc, elle joue d'un instrument à cordes appelé *vina*. Associée à l'eau, elle porte le même nom qu'une rivière sacrée du Rajasthan.

contre les forces du mal pour la délivrer et réussit à vaincre les démons avec l'aide d'**HANUMAN**, roi des singes. Il devient ensuite roi d'Ayodhya avant de gagner le ciel.

•

RAVANA Roi des Rakshasas, démons hideux et esprits du mal dont le nom signifie « les maléfiques ». Ravana possède dix têtes, vingt bras et un corps grand comme une montagne. Couvert de cicatrices reçues au cours de batailles contre les dieux, seul un mortel pouvait le tuer. Il provoquait de tels ravages que **VISHNOU** revêtit forme humaine et vint sur terre sous les traits de **RAMA**. D'après le *Ramayana*, Ravana enleva **SITA**, épouse de Rama, et l'emporta dans son royaume de Lanka. Rama le combattit, mais quand il coupait l'une des têtes du démon, elle repoussait aussitôt. Le prince lança alors une flèche, qui transperça le cœur du démon. Ravana s'effondra, mortellement blessé. La grande bataille était gagnée.

•

RIBHOUS Groupe d'artisans qui furent élevés au rang des dieux après avoir construit un char en or pour **INDRA**. Ils séjournent depuis lors non loin du soleil, et soutiennent le ciel.

qui l'emporta dans son royaume de Lanka. Rama la délivra, mais il doutait qu'elle lui fût restée fidèle pendant sa captivité. Pour prouver son innocence, Sita se jeta dans les flammes. Le dieu du feu **AGNI** s'éleva alors, la tenant indemne sur ses genoux, et il renouvela son union avec Rama.

•

SURYA Dieu du soleil et maître du ciel. Il fait partie de l'ancienne triade divine, aux côtés d'**AGNI**, qui règne sur la terre, et d'**INDRA**, qui règne sur les airs. Surya se déplace sur un char tiré par sept chevaux conduits par Aruna, l'aurore. Sa chaleur est si intense que son épouse s'est réfugiée dans une forêt pour y trouver la fraîcheur, lui laissant son ombre pour maîtresse.

VARUNA L'une des plus anciennes divinités védiques, personnification du ciel universel et créateur. Omniscient, il possédait mille yeux auxquels rien n'échappait. Il créa le lit des fleuves et traça la course du soleil et des étoiles. Le vent était son souffle ; il envoya la pluie rafraîchissante et donna le feu aux hommes. Il faisait régner la justice, et son pouvoir illimité le rendit gardien de l'univers. Par la suite, l'hindouisme lui attribua un rôle plus réduit.

•

VISHNOU L'un des grands dieux de la Trimourti, aux côtés de **BRAHMÂ** et de **SHIVA**. Bienveillant et miséricordieux, il est appelé le Grand Protecteur. Lorsque l'humanité est en danger, Vishnou descend sur terre et intervient. Il revêt alors l'une de ses multiples formes, ou avatars, et apparaît sous les traits d'un héros humain ou d'un animal surnaturel. **KRISHNA** et **RAMA** comptent parmi ses avatars les plus célèbres.

•

YAMA Dieu de la mort, il se présente au jour et à l'heure dits et emporte les âmes au tribunal des morts.

•

YOUGA Période de temps correspondant à un âge du monde dans l'univers hindou. Quatre Yougas se succèdent pour former un cycle, le *Maha-Youga*, qui dure 4 320 000 ans. Deux mille Maha-Yougas équivalent à un Kalpa, c'est-à-dire à une journée et une nuit de la vie de **BRAHMÂ**.

Jusqu'à nos jours, le dieu Vishnou est apparu sous neuf avatars :
• **MATSYA**, le poisson qui sauve l'un des Manous du déluge ;
• **KOURMA**, la tortue qui aide les autres dieux à se procurer l'amrita ;
• **VARAHA**, le sanglier qui lutte contre un géant pendant mille ans ;
• **NARASIMHA**, l'homme-lion qui tue le tyran, frère du géant ;
• **VAMANA**, le nain qui reconquiert la terre et le ciel, enlevés aux dieux par le roi des géants ;
• **PARASHU-RAMA**, qui abat le roi de l'Himalaya aux cent bras ;
• **RAMA** et **KRISHNA**, les avatars les plus célèbres de Vishnou ;
• **BOUDDHA**, que les prêtres hindous considèrent comme le neuvième avatar de Vishnou ;
• **KALKIN**, le dixième avatar, apparaîtra sur un cheval blanc et anéantira pour toujours les êtres malfaisants.

La danse cosmique de Nataraja représente le mouvement éternel de l'univers. Dans sa puissance destructrice, il écrase d'un pied le démon Moujalaka, symbole de l'ignorance.

LA CHINE

Le patrimoine chinois est l'un des plus anciens du monde : certains de ses mythes datent de quatre millénaires. Nombre de ces récits primitifs ont pour thèmes la création de l'univers, les hauts faits des premiers souverains ou encore la lutte entre le bien et le mal. Certaines préoccupations se manifestent de façon récurrente : les morts, les revenants, la magie et le surnaturel.

Durant tout le règne de la dynastie Shang (v. 1766-1112 av. J.-C.) furent vénérées de nombreuses divinités associées aux éléments naturels, à la terre, à la pluie, aux cours d'eau. Le dieu suprême était **SHANG DI**. Pour consulter les esprits des ancêtres, on gravait des questions sur des fragments d'os ou des carapaces de tortues, que l'on mettait ensuite à chauffer. Les inscriptions changeaient de forme et les signes ainsi obtenus étaient déchiffrés pour donner la réponse des ancêtres.

Lorsque la dynastie Zhou (1112-453 av. J.-C.) succéda à la dynastie Shang, le culte des ancêtres se généralisa, tandis que l'on continuait de vénérer les anciennes divinités. Puis, vers le Ve siècle av. J.-C., apparurent deux écoles de pensée : le taoïsme et le confucianisme, qui eurent une influence décisive sur les croyances chinoises, jusqu'à devenir deux des trois principales religions du pays. La troisième fut le bouddhisme, venu de l'Inde et introduit en Chine au IIe siècle de notre ère.

LE YIN ET LE YANG

Les Chinois considèrent que ces deux forces s'opposent et se complètent. Le yin est un principe féminin, le yang, un principe masculin. Le symbole taoïste ci-contre représente leur complémentarité : le yin est noir, le yang est blanc. Leur union engendra le géant P'an Ku, qui de son propre corps créa l'univers.

110

LAO TSEU ET CONFUCIUS

Le taoïsme et le confucianisme, deux nouvelles conceptions du monde, avaient pour objet d'enseigner aux hommes un nouvel art de vivre. Les mythes et le surnaturel, à l'origine absents, vinrent se greffer au fil du temps sur ces deux systèmes de pensée. **CONFUCIUS** met l'accent sur l'ordre social et accorde une grande importance au respect des parents, des vieillards, des morts et des traditions. Le taoïsme, devenu religion au IIe siècle av. J.-C., se fonde quant à lui sur la philosophie de **LAO TSEU**. Les taoïstes considèrent qu'il est indispensable, pour parvenir à la vie éternelle, de comprendre les lois naturelles, de vivre en harmonie avec la nature et de composer un équilibre entre le yin et le yang. Le taoïsme adoptera ensuite certains aspects plus mythologiques, notamment le culte des divinités protectrices. Confucius, en revanche, n'envisage pas de vie éternelle. Lorsqu'il fut introduit en Chine, le bouddhisme apporta ses réponses à cette préoccupation. Il affirme en effet que la mort est suivie d'une réincarnation et que, s'il a mené une vie exemplaire, l'homme peut accéder

au paradis. Cette philosophie a exercé une influence considérable sur la mythologie chinoise. **GUAN YIN**, déesse de la miséricorde au premier rang des divinités chinoises, est ainsi d'origine bouddhique.

L'AUGUSTE DE JADE

La société chinoise s'appuyait sur une hiérarchie rigide, au sommet de laquelle se trouvait l'empereur. Dans la mythologie, le ciel et l'enfer s'organisent selon une structure identique. Sur l'enfer règne un roi, entouré de dix juges, dont chacun est à la tête d'un tribunal. Au paradis, l'**EMPEREUR DE JADE** règne lui aussi sur des juges, des tribunaux et de hauts dignitaires. Sur terre, l'empereur des hommes est nommé « Fils du Ciel », ce qui souligne le lien qui l'unit à la hiérarchie céleste.

Selon un mythe chinois, dix soleils apparurent ensemble dans le ciel. Les rochers fondirent, les plantes se desséchèrent. L'archer Yi sauva le monde en abattant de ses flèches neuf des dix astres de feu.

Lung Mo, la « Mère du dragon », est assise sur le dos de cet animal sacré, élevé par ses soins depuis le jour de son éclosion.

NE ZHA Fils d'un général nommé Li Zheng. À sa naissance, il avait une ceinture de soie rouge autour de la taille et un bracelet magique au poignet droit, grâce auquel il accomplit d'innombrables exploits et miracles. Un jour, il tua accidentellement le fils du roi dragon et l'on en tint pour responsable son père Li Zheng. Pour le sauver d'une mort certaine, Ne Zha se livra au roi dragon et, afin d'expier son crime, il s'écorcha et s'arracha la chair jusqu'aux os.

●

NÜGUA Déesse qui s'installa sur terre, créatrice de l'humanité. Elle avait la tête et le buste d'une femme d'une merveilleuse beauté, mais le bas du corps, à partir de la taille, était celui d'un serpent. Elle façonna les premiers êtres humains dans de l'argile. Puis elle trempa une liane dans la boue d'une rivière et la secoua, formant autour d'elle des tas de boue et des éclaboussures qui, à leur tour, prirent forme humaine.

●

P'AN KU Créateur de l'univers. Au commencement seul existait un œuf de poule contenant le chaos et le géant P'an Ku. Lorsque le géant sortit de l'œuf, le chaos s'en échappa et se scinda en une partie légère, le yang, qui s'éleva pour composer le ciel, et une partie plus lourde, le yin, qui forma la terre. P'an Ku occupa l'espace situé entre les deux et grandit au fur et à mesure qu'ils s'éloignaient l'un de l'autre, pendant 18 000 ans, à la vitesse de dix pieds par jour. Au bout de cette période, le ciel resta en place au-dessus de la terre, et le géant mourut. De son corps naquirent le soleil, la lune et les étoiles.

●

PI KAN Dieu des richesses, renommé pour sa sagesse au temps où il était mortel. Proche parent du cruel empereur Chou Hsin, il s'éleva contre l'injustice du tyran. Ayant entendu dire que le cœur des sages était percé de sept trous et rendu furieux par les critiques de Pi Kan, l'empereur fit ouvrir la poitrine du sage pour voir si l'on avait dit vrai.

●

SAKYAMUNI Vrai nom du Bouddha historique, prince d'origine indienne vénéré dans toute la Chine (voir p. 106).

●

SHANG DI Dieu suprême de l'Empire céleste, ancêtre d'un empereur de la dynastie Shang qui régna du XVIe au XIe siècle av. J.-C. On considère habituellement que c'est lui qui devint par la suite l'**EMPEREUR DE JADE** des taoïstes.

●

SINGE Aussi appelé le « Grand Sage qui monta au ciel », il naquit d'un œuf de pierre, au sommet de la montagne des fruits et des fleurs. Il devint ensuite roi des singes, mais il n'eut de cesse de connaître le secret de l'immortalité. Un maître du taoïsme lui enseigna la voie de la vie éternelle et le roi des singes monta au ciel. Là, il vola les pêches de l'immortalité et se conduisit très mal. Il échappa cependant au châtiment grâce à **GUAN YIN**, qui intercéda en sa faveur. Au lieu de le punir, on lui confia pour mission de protéger le prêtre Xuan Zang au cours de son voyage vers l'ouest, d'où il voulait rapporter les écrits bouddhiques.

●

TIGRE BLANC Le Tigre blanc de l'Ouest est un démon qui s'attaque au mal et le fait reculer. Il fut un temps où il était homme, du nom de Xin Cheng Xing. Fils d'un courtisan, il disparut en essayant de venger la mort de son père. Son esprit devint alors le Tigre blanc.

●

TIEN HOU Lorsqu'elle était petite fille, Tien Hou fit un rêve dans lequel elle voyait le bateau de son père chavirer. Dans son rêve, elle se transformait en esprit pour le sauver. Elle avait le pouvoir d'apaiser une tempête en fermant simplement les yeux. Elle fut plus tard vénérée comme concubine de l'empereur, reine de l'Empire céleste. De nos jours, les pêcheurs du sud de la Chine continuent de lui vouer un culte.

●

TSAO CHUN Dieu du foyer et de la cuisine. De sa place au-dessus de l'âtre, il observe tout ce qui se passe dans la maison et, le jour de l'an, il se rend auprès de l'**EMPEREUR DE JADE** pour lui faire son rapport. De là vient la coutume, la veille du jour de l'an, d'enduire de miel la bouche de son portrait afin qu'il ne parle qu'en bien de la famille.

●

WEN CH'ANG Divinité taoïste de la littérature. Il passa sa vie d'homme mortel dans la province du Sichuan, sous la dynastie des Tang. Il est souvent représenté avec une carpe, signe de bon augure, et on invoquait son nom pour obtenir aide et protection lors des examens qui permettaient de devenir fonctionnaire impérial.

●

YEN LO WONG Maître des Enfers, qui se divisent en dix régions, chacune ayant à sa tête son propre roi. Yen Lo Wong examine le grand registre où sont consignés les faits et gestes de chaque mortel, puis il envoie les âmes des morts dans telle ou telle région, en fonction des méfaits commis par chacun de son vivant.

●

YI Héros immortel qui sauva la terre du feu solaire. Dans les temps les plus reculés, il y avait dix soleils qui, chaque jour, apparaissaient à tour de rôle. Ils se lassèrent de cette rotation et décidèrent d'apparaître tous ensemble. Les plantes ne tardèrent pas à se dessécher, à dépérir, et les rochers

à fondre. L'empereur Yao supplia alors Dijun, père des soleils, de rappeler à l'ordre ses redoutables enfants. Mais les soleils ne voulurent rien entendre. Dijun décida alors d'envoyer l'archer Yi sur terre, armé de son arc magique et de ses flèches. Yi avait reçu pour mission d'intimider les soleils facétieux pour qu'ils obéissent à leur père, mais il les frappa de ses flèches avec tant d'habileté qu'il en tua neuf, ne laissant dans le ciel que le dixième, celui que nous connaissons aujourd'hui. La mort de ses enfants provoqua le courroux de Dijun, qui condamna le héros à vivre sur terre, où il devint un simple mortel.

●

YU Dragon, ou mi-homme mi-dragon, envoyé par les dieux sur la terre pour maîtriser le grand déluge. Pendant treize années, Yu s'usa à la tâche pour retenir les eaux et réussit en créant un système de canaux artificiels. En récompense, il devint le premier empereur de la dynastie des Xia.

●

ZHONG KWEI Pourfendeur de démons et dévoreur de fantômes dont on suspend au mur le portrait hideux afin d'éloigner les esprits malins. On le disait capable de déchiqueter les fantômes avec les dents et de les avaler. Zhong Kwei était un médecin de l'époque Tang, dont la candidature aux examens impériaux fut rejetée à cause de la laideur de son visage. De désespoir, il se jeta dans une rivière et se noya.

Lorsque la déesse Nügua séjourna sur la terre, elle finit par souffrir de la solitude. Un jour, assise au bord d'une rivière, elle se mit à sculpter l'argile humide. Elle façonna des hommes et des femmes, puis souffla sur eux pour leur donner la vie. Ainsi furent créés les riches et les grands de ce monde. Puis elle fit tournoyer une liane qu'elle avait trempée dans la boue. De la glaise qui tombait naquirent les pauvres et les petites gens.

LE JAPON

Au Japon, la religion la plus ancienne est le shintô, ou « voie des dieux ». Comme l'écriture est apparue alors que cette religion existait déjà, il est impossible de dater avec certitude les origines du shintô. L'introduction du confucianisme au Japon remonte au IIIe siècle de notre ère et celle du bouddhisme au VIe siècle. Confucianisme et bouddhisme exercèrent une influence sur le shintô, à tel point qu'il est parfois difficile de faire la part de la tradition japonaise et de l'apport chinois.

La principale source écrite par laquelle les mythes japonais sont venus à notre connaissance est le *Kojiki*, ou « Chronique des choses d'autrefois », achevé en 712. Il offre une version de la genèse de l'univers et contient le mythe d'**IZANAGI** et **IZANAMI**, le couple primordial. Une version légèrement différente de la création est donnée dans le *Nihon shoki*, ou « Chroniques du Japon », achevé en 720.

Au commencement des temps, alors que la terre n'était pas achevée, Izanagi et Izanami, qui se tenaient sur le Pont flottant du Ciel, remuèrent les eaux de la pointe d'une lance. Une goutte tomba lorsqu'ils retirèrent la lance, formant l'île d'Onogoro.

Izanagi et Izanami eurent plusieurs enfants, au nombre desquels la déesse solaire **AMATERASU**, l'une des plus importantes divinités shintô : son sanctuaire d'Ise reçoit plus de dix millions de visiteurs par an. Selon la tradition, la famille impériale descend de **NINIGI**, l'un des petits-enfants d'Amaterasu. L'empereur du Japon fut considéré comme une divinité jusqu'en 1946, date à laquelle il renonça à son ascendance divine. Ce lien établi par la tradition avec la déesse du soleil explique également la présence du soleil levant sur le drapeau japonais.

Le shintô repose sur la vénération d'une multitude de divinités et d'esprits, les *kami*. Ce mot désigne tout élément de la nature revêtu d'un caractère vénérable et sacré — comme les montagnes, arbres antiques de haute taille, cours d'eau et océans —, ainsi que les grands hommes. Il existe des millions de *kami*, parmi lesquels on distingue les divinités célestes et les divinités terrestres, qui demeurent dans les îles de l'archipel japonais. Il fut un temps où la terre et le ciel étaient reliés par un pont que franchissaient les dieux, jusqu'à ce qu'il s'effondre dans la mer.

Le bouddhisme, venu de Chine, coexiste avec le shintô depuis plus de quinze siècles. Ces deux religions ont exercé l'une sur l'autre une influence considérable. C'est ainsi que, dans certains temples bouddhistes, des moines officiaient sur des autels shintô. Les rites bouddhiques étaient en revanche observés lors des cérémonies funèbres. Ces pratiques hétérodoxes, mêlant l'une et l'autre religion, reçurent le nom de *Ryôbu-shintô*. Elles expliquent la présence de certaines divinités shintô dans la mythologie bouddhique.

Cette statue d'argile (VIIIe siècle ap. J.-C.), mesure près de deux mètres et représente un dieu farouche vêtu en guerrier. Placée dans un lieu consacré, elle devait éloigner les démons infernaux.

LE FUJI-YAMA

C'est un volcan éteint situé non loin de Tokyo et que l'on vénère comme le plus sacré du Japon. Il doit son nom à Fuchi, déesse du feu des Aïnus, le premier peuple du Japon. Selon la tradition, la déesse protège le pays. Jusqu'au XIXe siècle, les femmes n'avaient pas le droit de l'escalader.

Lorsque la déesse du soleil Amaterasu se retira dans une caverne, le monde fut privé de lumière. Elle refusa de sortir jusqu'à ce qu'Uzume, la déesse du rire, attise sa curiosité et l'amène à regarder par l'ouverture du rocher.

Bishamon est habituellement représenté en guerrier, portant une lance et une pagode miniature, symbole du bouddhisme. Daïkoku se tient sur un monticule de riz, le maillet de l'abondance à la main, accompagné d'un rat qui le protège et éloigne le mal avec un rameau de houx. Hotei est le bouddha rond et rieur chargé d'un sac plein d'objets précieux.

AMATERASU Déesse du soleil dans la mythologie shintô. Selon la tradition, les empereurs du Japon sont ses descendants et c'est elle qui a fondé la famille impériale. Elle naquit de l'œil gauche d'**IZANAGI** et eut huit enfants de son mariage avec son frère **SUSANOWO**. Son époux l'ayant gravement offensée, elle se retira dans la « Céleste Caverne » et le monde fut plongé dans les ténèbres. Rien ni personne ne parvenait à la convaincre d'en sortir. Un jour, Uzume, déesse du rire, se rendit à l'entrée de la caverne où elle exécuta une danse exotique. La curiosité fit approcher Amaterasu, qui risqua un coup d'œil par l'ouverture du rocher et aperçut un miroir et des bijoux placés là, sur un arbre. Fascinée par son propre reflet, la déesse sortit de la caverne et la lumière fut rendue au monde.

BAT KANNON L'un des sept aspects que revêt **KANNON**, dans la tradition bouddhique. Il possède un troisième œil, est couronné d'une tête de cheval et possède une bouche armée de crocs. Il est le protecteur de ceux qui sont réincarnés sous l'aspect d'un animal en raison des actes accomplis au cours de leur existence passée.

●

BENTEN Déesse de la mer, elle est l'une des sept principales divinités protectrices. On lui voue un culte essentiellement dans les petites îles du large (voir **SHICHI FUKUJIN**).

●

BINZUKI Disciple du Bouddha, il fut élevé au rang des dieux en raison de ses pouvoirs miraculeux de guérisseur.

●

BISHAMON Dieu de la guerre, que l'on représente généralement vêtu d'une armure. Il fait partie des sept grandes divinités protectrices, les **SHICHI FUKUJIN**.

DAÏKOKU Dieu du bonheur, de la chance et de la prospérité, l'une des sept divinités protectrices majeures, les **SHICHI FUKUJIN**. D'un seul coup de son maillet de bois, il peut faire la fortune de quiconque.

•

EBISU Dieu du travail, souvent représenté tenant une canne à pêche. Il est l'une des sept principales divinités protectrices, les **SHICHI FUKUJIN**.

•

EMMA-O Dieu bouddhiste des Enfers, dont le royaume se divise en huit domaines de feu et huit domaines de glace. Il préside au tribunal où sont jugées les âmes des défunts et décide de l'enfer qui convient le mieux à leurs péchés. Les femmes sont jugées par sa sœur.

•

FUKUROKUJU Dieu de la sagesse, il assure longue vie à ceux qu'il protège. Il fait partie des sept grandes divinités protectrices, les **SHICHI FUKUJIN**.

•

HACHIMAN Dieu de la guerre dans la tradition shintô. Il fut d'abord l'empereur Ojin (270-310 ap. J.-C.) puis, après sa mort, vénéré comme un dieu. Par la suite, il sera identifié à **KANNON**, le dieu bienveillant de la tradition bouddhiste.

•

HOTEI Dieu du bonheur, appelé le Bouddha rieur, et l'une des sept principales divinités protectrices, les **SHICHI FUKUJIN**.

•

INARI Dieu de l'agriculture, du riz et de la prospérité qui demeure dans les collines. Le renard, son animal sacré, est son messager. Dans les temples qui lui sont consacrés, il est représenté en compagnie de deux renards.

•

IZANAGI et **IZANAMI** Dieux créateurs dans la tradition shintô. Ils formèrent les îles du Japon en remuant les eaux du chaos avec une lance incrustée de bijoux. Izanami mourut en donnant naissance à son fils **KAGUTSUCHI**. Izanagi descendit aux Enfers pour y chercher son épouse, mais il trouva son corps en décomposition et s'enfuit horrifié. Revenu dans le monde d'en haut, il se purifia dans une rivière. Les dieux et les êtres maléfiques naquirent des vêtements qu'il avait quittés. Tandis qu'il se lavait le visage, **AMATERASU** naquit de son œil gauche, **TSUKI YOMI** de son œil droit et **SUSANOWO** de son nez.

•

JIZO Protecteur, chez les bouddhistes, de tous ceux qui souffrent. Il veille sur les enfants, et plus particulièrement sur les âmes des enfants morts. Jizo peut sauver les âmes des Enfers et les conduire au paradis.

•

JOROJIN Dieu de la sagesse et de la longévité. Il fait partie des sept divinités protectrices majeures, les **SHICHI FUKUJIN**.

•

KAGUTSUCHI Dieu du feu, dans la tradition shintô, et quatrième fils d'**IZANAGI** et **IZANAMI**. Sa mère fut mortellement brûlée à sa naissance. Dans un accès de fureur, Izanagi mit en pièces son fils nouveau-né.

•

KANNON L'une des principales divinités bouddhiques, tantôt féminine, tantôt masculine. Kannon est un être de compassion, qui vient au secours des enfants, des femmes

Sur cette garde d'épée du XIXᵉ siècle, le personnage en relief est Kannon, debout sur le dos d'une carpe. Kannon était un *bodhisattva* (être qui aspire à l'état de bouddha) très souvent représenté et qui revêt de multiples formes. Bienveillant et vénéré des marins, il les préservait contre les naufrages.

Jorojin, dieu de la sagesse et de la longévité, est l'un des Shichi Fukujin, dieux shintô de la chance. Il est ordinairement représenté sous les traits d'un vieillard, souvent en compagnie d'une grue, symbole de la satisfaction d'une vie accomplie. Dans une main, il tient un parchemin contenant la sagesse du monde.

qui accouchent et des âmes des morts. Il apparaît souvent sous de multiples aspects.

•

NINIGI Petit-fils de la déesse **AMATERASU** dans la tradition shintô. Lorsque **ÔKUNINUSHI** devint souverain de la province d'Izumo, ses frères ne cessèrent de lui faire la guerre et le pays sombra dans le chaos. Amaterasu contraignit alors **ÔKUNINUSHI** à abdiquer en faveur de son petit-fils Ninigi. Celui-ci emporta les bijoux et le miroir qui avaient fait sortir Amaterasu de sa retraite, ainsi que Kusanagi, l'épée que **SUSANOWO** avait tirée de la queue du dragon. Ces objets devinrent les attributs du pouvoir impérial. Ninigi, en prenant le miroir, reçut pour recommandation de le vénérer comme s'il s'agissait d'Amaterasu en personne. Il épousa **SENGEN** et, selon la tradition, les empereurs furent leurs descendants.

ÔKUNINUSHI Dieu de la médecine, dans la tradition shintô, qui inventa des remèdes pour d'innombrables maladies. Il avait quatre-vingts frères jaloux de ses pouvoirs et qui tentèrent de l'anéantir. Il fut sauvé par sa mère, qui l'envoya aux Enfers chercher le secours de **SUSANOWO**. Il y rencontra la fille de celui-ci, Suseri-hime. Ils s'aimèrent et se marièrent, au grand dam de Susanowo qui essaya de tuer Ôkuninushi en envoyant d'abord des serpents, puis des insectes venimeux dans la chambre où il dormait. Ôkuninushi échappa aux deux tentatives grâce à une écharpe magique que lui avait donnée son épouse. Le couple regagna ensuite le royaume de la terre, où Ôkuninushi devint souverain d'Izumo. Mais les attaques répétées de ses frères ne tardèrent pas à faire sombrer la province dans le chaos. **AMATERASU** intervint alors et contraignit Ôkuninushi à abdiquer.

•

RAIDEN Dieu du tonnerre, souvent représenté sous la forme d'un démon rouge, cornu, muni de deux griffes à chaque pied. Pour faire retentir le tonnerre, il frappe sur une batterie de tambours. Il n'aime rien tant qu'un petit ventre frais pour en faire un festin. C'est pour cette raison que l'on recommande aux enfants de bien se couvrir le ventre, afin de ne pas tenter l'appétit monstrueux du dieu.

•

SENGEN Déesse du Fuji-Yama dans la tradition shintô, également appelée la « Princesse qui fait fleurir les arbres ». Elle épousa **NINIGI**, et leur arrière-petit-fils Jimmu Tennô fut, selon la légende, le premier empereur du Japon.

SHICHI FUKUJIN Les sept principales divinités protectrices de la tradition shintô, ou dieux de la bonne fortune : **BENTEN**, **BISHAMON**, **DAÏKOKU**, **EBISU**, **FUKUROKUJU**, **HOTEI** et **JOROJIN**. Leur nom revient souvent dans les chansons populaires. On les représente parfois séparément, parfois ensemble sur leur navire, entourés de leurs trésors et des attributs de leurs pouvoirs.

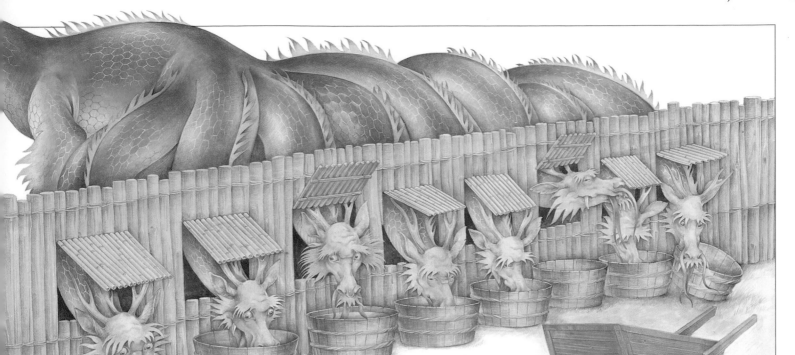

Parmi ces trésors figuraient un chapeau qui rendait invisible, les clefs de la maison du trésor des dieux, une bourse dans laquelle on pouvait puiser sans fin, un manteau de plumes, des rouleaux de soie et des parchemins.

•

SUSANOWO Dieu de la mer et des tempêtes, qui naquit du nez d'**IZANAGI**. Son nom signifie « impétueux », et son attitude offensante à l'égard de sa sœur **AMATERASU** scandalisa celle-ci au point qu'elle se retira dans une caverne, privant le monde de lumière. Pour le punir, les dieux bannirent Susanowo dans la province d'Izumo. Il y tua un dragon féroce à huit têtes et retira Kusanagi, l'épée sacrée, de la queue du monstre. Après d'innombrables aventures, il alla séjourner aux Enfers, auprès de sa mère **IZANAMI**.

•

TEMMANGU Dieu de la connaissance et de l'écriture, patron des professeurs et des écoliers. D'abord mortel, il fut divinisé après sa mort.

•

TENGU Esprits malicieux et espiègles, mi-hommes portant chapeau et cape, mi-oiseaux avec leurs ailes, leurs serres et leur long bec — d'où leur nom qui signifie « long nez ».

TSUKI-YOMI Dieu de la lune dans la tradition shintô, né de l'œil droit d'**IZANAGI**. Il escalada l'échelle céleste pour vivre aux côtés de sa sœur, la déesse du soleil **AMATERASU**. Celle-ci l'envoya en ambassade auprès d'**UKE-MOCHI**, déesse de la nourriture, mais Tsuki-yomi tua Uke-mochi et sa sœur refusa de le revoir. C'est pour cette raison que le temps fut divisé entre le jour et la nuit et que la lune et le soleil sont toujours séparés.

•

UKE-MOCHI Déesse de la nourriture dans la tradition shintô. Lorsque **TSUKI-YOMI** lui rendit visite, elle l'invita à prendre part à un repas et fit sortir tous les mets du festin de sa bouche et de son nez. Tsuki-yomi en fut tellement dégoûté qu'il la tua sur-le-champ. Du corps de la déesse sortirent alors du riz, du blé et des haricots ; de sa tête, un bœuf et un cheval. **AMATERASU** en fit don à l'humanité. Dans une version plus tardive, Uke-mochi est tuée par **SUSANOWO**.

Un dragon à huit têtes avait dévoré sept des filles d'un malheureux couple, et allait faire de même avec la huitième quand Susanowo eut l'idée de construire une clôture derrière laquelle il aligna huit baquets d'alcool de riz. Passant une tête par chaque trappe, le dragon avala tant d'alcool qu'il tomba endormi. Susanowo put alors trancher toutes les têtes dans leur sommeil.

L'ASIE DU SUD-EST

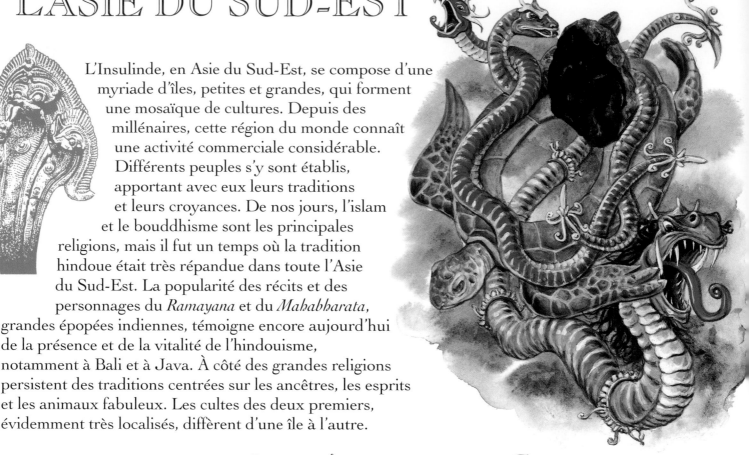

L'Insulinde, en Asie du Sud-Est, se compose d'une myriade d'îles, petites et grandes, qui forment une mosaïque de cultures. Depuis des millénaires, cette région du monde connaît une activité commerciale considérable. Différents peuples s'y sont établis, apportant avec eux leurs traditions et leurs croyances. De nos jours, l'islam et le bouddhisme sont les principales religions, mais il fut un temps où la tradition hindoue était très répandue dans toute l'Asie du Sud-Est. La popularité des récits et des personnages du *Ramayana* et du *Mahabharata*, grandes épopées indiennes, témoigne encore aujourd'hui de la présence et de la vitalité de l'hindouisme, notamment à Bali et à Java. À côté des grandes religions persistent des traditions centrées sur les ancêtres, les esprits et les animaux fabuleux. Les cultes des deux premiers, évidemment très localisés, diffèrent d'une île à l'autre.

LES ANCÊTRES

Certains récits portent sur la fondation des villages, souvent attribuée à un ancêtre légendaire. On vénère également les héros, ceux qui ont enseigné à leur peuple ses règles et ses lois, ou encore les techniques qui lui ont permis d'assurer sa subsistance. Les ancêtres sont le lien entre les vivants et les morts, et les rites qui leur sont consacrés jouent un rôle très important dans la vie communautaire. Certaines

En Birmanie (Myanmar), les esprits sont appelés « nats ». Certains peuvent nuire à ceux qui les contrarient.

Selon un mythe balinais, il n'existait rien avant que le Serpent cosmique Antaboga créât la Tortue cosmique. Sur son dos s'enroulent deux serpents près desquels une pierre noire ferme l'entrée des Enfers.

civilisations attribuent à l'esprit des ancêtres un pouvoir protecteur qui écarte le mal. Pour les honorer, elles ont élevé des sanctuaires et des monuments. Les Torajas des Célèbes (Sulawesi) placent des sculptures, les **TAU TAU**, à l'entrée des grottes et des cavernes. Bien que devenus chrétiens, les Torajas croient toujours au rôle protecteur des ancêtres.

LES CÉLESTES ROCHERS

À Bornéo, la tradition situait
les dieux dans des demeures
célestes, tandis que la terre,
en dessous, n'était qu'un océan.
Elle se forma le jour
où les dieux lancèrent
des rochers du haut du ciel.
C'est ainsi qu'apparurent
notamment les îles.

ESPRITS ET ANIMAUX FABULEUX

Le monde des esprits joue un
rôle très important dans toute
l'Asie du Sud-Est. En Birmanie
(Myanmar), les esprits
sont appelés **NATS**, ce qui signifie
« seigneurs » et montre bien
la vénération vouée aux esprits.
Les nats sont bienveillants,
mais ils savent se montrer
redoutables si on ne leur témoigne
pas le respect qui leur est dû.
Les animaux fabuleux, comme
les dragons et les serpents,
abondent dans tous les récits.
À Sumatra, par exemple, le
monde des Enfers est gouverné
par un serpent appelé **NAGA
PADOHA**. Naga est un très vieux
mot d'origine hindoue qui signifie
« serpent ». De nos jours, les
nagas sont présents dans des
récits répandus dans toute l'Asie
du Sud-Est. Quant aux dragons
et monstres apparentés,
on pense généralement qu'ils
sont originaires de Chine.
On les invoque pour demander
leur protection. Ils portent
des noms divers, **ASO** à Bornéo,
SINGA à Sumatra...

Dans presque toute l'Asie
du Sud-Est, le mode de vie est
rural et l'organisation sociale
est celle du village. La culture
du riz occupe la première place
dans l'agriculture. Cet aliment
de base est aussi le thème de
nombreux mythes et l'on adresse
moult offrandes aux dieux afin
de s'assurer de bonnes récoltes.
À Bali, chaque famille façonne
une grande gerbe de riz pour
en faire une « mère du riz »,
que l'on place au bord
des rizières. Après la moisson,
le mannequin est béni par un
prêtre et placé dans les greniers
en vue de garder la récolte.
Au Laos, le peuple des Lamets
considère que le riz a une âme
et lui donne le même nom
(klpu) qu'à l'âme humaine.
De nombreuses offrandes
lui sont faites car c'est
elle qui donne à la plante
la force de croître.

Cet ensemble de sculptures
représente les ancêtres
défunts, les Tau Tau, à l'entrée
d'une caverne ouvrant sur
une falaise dans l'île des Célèbes
(Sulawesi).

LES HANTUS

En Malaisie, la mythologie
regroupe démons, fantômes
et esprits sous le terme de *hantu*.
Le hantu B'rok est l'esprit
qui s'empare des danseurs.
Les hantus Ayer et Laut
sont des esprits des eaux,
tandis que les hantus Kubor sont
les démons qui hantent
les tombes.

123

Lorsqu'il arriva sur la lune, le chasseur Moyang Kapir trouva un sac contenant les lois de la civilisation et les règles de vie sociale que l'esprit Moyang Melur avait cachées. Le chasseur s'empara du sac, redescendit sur terre au moyen de sa corde et donna les lois à son peuple.

ASO À Bornéo, ce dragon protecteur chasse les esprits maléfiques et son image orne de nombreux objets.

•

ATUF Héros tanimbarais, en Indonésie. Alors que le monde était encore dans les ténèbres, Atuf navigua vers l'est pour apporter la lumière. Il frappa le soleil de sa lance et, des éclats qui en volèrent, naquirent la lune et les étoiles.

•

HKUN AÏ En Birmanie, héros mythique qui épousa Naga, une femme-dragon. Son épouse commença par revêtir sa forme humaine, mais à l'époque des fêtes nautiques données en l'honneur des dragons, elle reprit son corps de serpent. Décontenancé par son nouvel aspect, Hkun Aï décida qu'il ne pouvait plus vivre avec elle. Avant son départ, Naga lui donna un œuf. Le moment de l'éclosion venu, il en sortit un petit garçon qui grandit et devint un grand roi, nommé Tung Hkan.

•

KADAKLAN Dans la mythologie des Philippines, dieu créateur d'un petit archipel. Il frappe sur un tambour pour faire retentir le tonnerre, tandis que la foudre est la morsure de son chien.

•

LAC LONG QUAN Dans la mythologie vietnamienne, seigneur dragon qui enseigna aux hommes la culture du riz et leur apprit à se vêtir. Puis il repartit, promettant de revenir si son aide était nécessaire. Un jour, un souverain chinois tenta de conquérir le Viêt-nam : le peuple adressa alors ses prières à Lac Long Quan, qui repoussa les envahisseurs.

•

MAROMAK À Timor, le peuple Tetum a pour divinité créatrice Maromak, dieu du ciel auquel on adresse des prières et des sacrifices. Il descendit sur terre en compagnie de la déesse Raï Lolon, et tous deux engendrèrent les premiers hommes.

•

MIN MAHAGIRI Esprit, ou **NAT**, protecteur du foyer en Birmanie. De son vivant, il était forgeron, mais le roi, jaloux de son pouvoir, le fit tuer. À l'entrée de chaque maison, on suspend une noix de coco en son honneur.

On le représente une épée à la main et tenant dans l'autre une grande feuille qui lui sert d'éventail.

•

MOYANG MELUR Esprit mi-homme, mi-tigre, dans la mythologie malaise. Il séjournait sur la lune, où étaient gardées les lois de la civilisation. Sur terre, les hommes, ignorant les règles de la vie sociale, vivaient comme des sauvages. Un jour, alors qu'il considérait le chaos qui sévissait à ses pieds, Moyang Melur se pencha un peu trop et tomba sur la terre.
Il voulut alors anéantir les hommes, et la seule voie de salut fut de le reconduire chez lui. Un chasseur du nom de Moyang Kapir lança une corde jusqu'à la lune et y grimpa en emportant l'esprit avec lui.

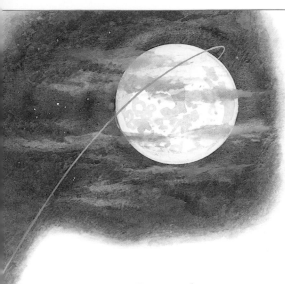

NAGA PADOHA Serpent-dragon géant séjournant aux enfers, dans la mythologie de Sumatra. Il est souvent représenté sous l'aspect d'un buffle à peau écailleuse, ou d'un énorme serpent cornu.

•

NAT En Birmanie, c'est ainsi que l'on nomme les esprits. Les nats vivent dans la mer, dans les airs ou sur la terre.
Les plus importants forment un groupe appelé les « Trente-Sept Nats », âmes des héros de légende, hommes ou femmes, décédés de mort violente.
Souvent malicieux, imprévisibles et parfois dangereux, on leur attribue un pouvoir supérieur à celui des hommes.

•

PAWANG PUKAT Sorcier accablé par la malchance, dans la mythologie malaise. Il décida de recourir à la magie et prit des monceaux de feuilles, qu'il éparpilla à la surface de la mer. Il y ajouta des poignées de riz et prononça des incantations magiques. Lorsqu'il revint pêcher, les feuilles s'étaient transformées en poissons de toutes les espèces imaginables. Pawang constitua une fortune en vendant le produit de sa pêche, ce qui lui permit de régler enfin ses dettes.

•

PONGKAPADANG Ancêtre du peuple Toraja, aux Célèbes (Sulawesi). Son épouse était la déesse des eaux To Ri Jenne. Il la rencontra échouée sur la rive d'un cours d'eau, alors que son bateau était parti à la dérive pendant son sommeil. On montre encore aujourd'hui les vestiges de la première maison construite par Pongkapadang.

RANGDA Démon féminin, dans la tradition balinaise. Rangda, dont le nom signifie « veuve », est en général représentée nue, portant une longue chevelure et des griffes aux mains comme aux pieds. Elle mène un groupe de sorcières et s'oppose à Barong, le roi des esprits du bien.

•

SANGHYANG WIDI WASA Dieu suprême de la tradition balinaise. Il porte aussi le nom de Tintiya, c'est-à-dire « Celui que l'on ne peut imaginer ». Toutes les autres divinités sont les différents aspects de Sanghyang Widi Wasa.

•

SI DEAK PARUJAR Déesse créatrice et fille du dieu suprême Mula Jadi Na Bolon, à Sumatra. Selon un récit, elle sauta du ciel sur la terre pour échapper à un dieu. Mais en ce temps-là, la terre n'était qu'un océan et elle fut contrainte de flotter à la surface des eaux, jusqu'à ce que son père lance une poignée de terre, qui grandit pour devenir la terre habitable. Le dieu suprême envoya ensuite un héros qui combattit **NAGA PADOHA**, le serpent des Enfers, et le chassa, rendant possible la vie sur terre. Le héros et Si Deak Parujar donnèrent ensuite naissance aux premiers hommes.

•

SINGA (ou SINGA NAGA) Animal fabuleux, dans la mythologie des Bataks, peuple du nord de Sumatra. Son corps se compose d'éléments empruntés à différents animaux, parmi lesquels le cheval, le buffle, le serpent, l'éléphant et le dragon. On voit souvent une tête de Singa sculptée ou peinte au mur extérieur des maisons, destinée à en protéger les habitants et à éloigner les esprits du mal.

•

TAU TAU Sculptures de bois représentant les ancêtres aux Célèbes (Sulawesi), chez les Torajas. Les statues des derniers défunts sont placées à l'entrée des cavernes s'ouvrant aux parois des falaises, assez haut pour que ceux qui passent à leur pied puissent les voir.

Ce masque balinais, qui représente Rangda, la sorcière, est porté lors des ballets évoquant la lutte entre Rangda et Barong. On pense que le mythe de la sorcière remonte à une époque lointaine et qu'il s'inspire de l'histoire d'une reine de Bali répudiée par son époux pour avoir détruit, à force de magie noire, la moitié de son royaume.

L'AMÉRIQUE LATINE

On pense que les premiers habitants de l'Amérique arrivèrent d'Asie par une bande de terre située à l'emplacement actuel du détroit de Béring. Le passage d'un continent à l'autre se fit par petits groupes successifs, il y a plusieurs millénaires. Les nouveaux venus se répartirent sur tout le nord, puis certains gagnèrent le continent sud-américain, dont la pointe australe fut finalement atteinte il y a plus de 9000 ans.

De nombreux peuples continuèrent à vivre de chasse, de pêche et de cueillette. En Amérique centrale cependant, ainsi qu'au Pérou, des civilisations complexes et raffinées virent le jour. L'évolution de chaque peuple se reflète dans sa mythologie.

Dans les civilisations primitives de la forêt amazonienne, les personnages mythologiques ne sont connus que très localement et on leur attribue un comportement très proche de celui des humains. Les sociétés fortement hiérarchisées, en revanche, comme celles des Aztèques et des Incas, possèdent une mythologie très complexe, à l'image de leur structure sociale.

Malgré ces différences, on retrouve des thèmes communs dans de vastes ensembles géographiques, comme le culte du soleil, le déluge originel ainsi que le culte voué au jaguar, animal sacré. Par ailleurs, les sacrifices humains étaient pratiqués par de nombreux peuples du continent.

L'une des pyramides découvertes au Guatemala, à Tikal qui fut l'un des grands centres de la civilisation maya.

L'AMÉRIQUE DU SUD

● MASQUE NAZCA EN OR QUI REPRÉSENTE LE DIEU SOLEIL.

→ Routes empruntées par les conquérants espagnols

→ Expansion de l'Empire inca

→ Arrivée des peuples du Nord vers la Méso-Améri

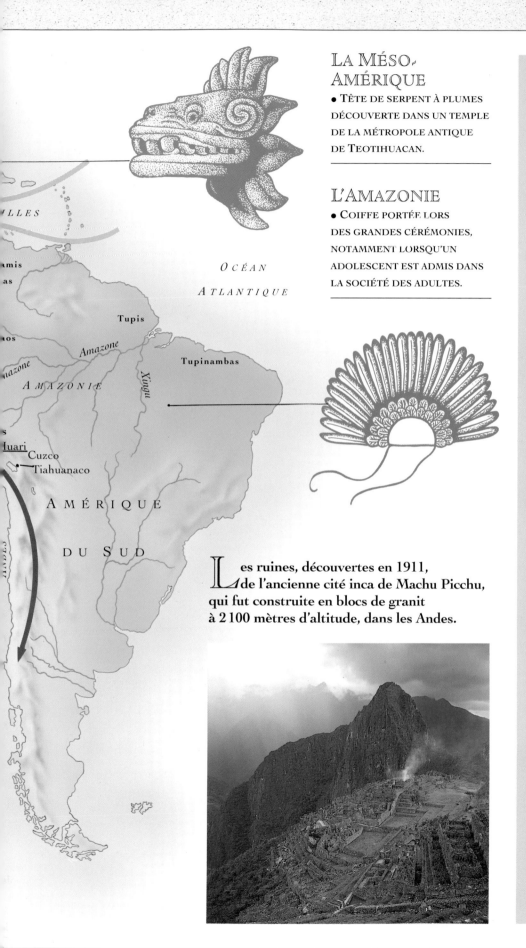

LA MÉSO-AMÉRIQUE

● TÊTE DE SERPENT À PLUMES DÉCOUVERTE DANS UN TEMPLE DE LA MÉTROPOLE ANTIQUE DE TEOTIHUACAN.

L'AMAZONIE

● COIFFE PORTÉE LORS DES GRANDES CÉRÉMONIES, NOTAMMENT LORSQU'UN ADOLESCENT EST ADMIS DANS LA SOCIÉTÉ DES ADULTES.

Océan Atlantique

Tupis

Amazone

Tupinambas

Amazone

AMAZONIE

Xingu

Huari
Cuzco
Tiahuanaco

A M É R I Q U E

D U S U D

Les ruines, découvertes en 1911, de l'ancienne cité inca de Machu Picchu, qui fut construite en blocs de granit à 2 100 mètres d'altitude, dans les Andes.

LA MÉSO-AMÉRIQUE

Le terme de Méso-Amérique désigne une aire culturelle occupée par les civilisations précolombiennes (c'est-à-dire antérieures à la venue de Christophe Colomb, à la fin du XVe siècle), qui correspond au Mexique actuel et au nord de l'Amérique centrale. Notre connaissance des premières civilisations de Méso-Amérique nous vient des Olmèques, dont la culture est née il y a quelque 3 000 ans. L'héritage de la mythologie olmèque transparaît dans des cultures plus tardives : certains dieux tels que **TLALOC**, **QUETZALCOATL** ou **TEZCATLIPOCA** semblent avoir eu des antécédents dans cette mythologie. De même, la tradition liée au jaguar s'est transmise à toutes les cultures méso-américaines après l'effondrement de la civilisation olmèque. D'autres cultures ont ensuite connu des siècles d'épanouissement avant la venue des Européens, ainsi la grande civilisation des Mayas, florissante dès le IIIe siècle de notre ère.

LES MAYAS

Depuis peu, on est parvenu à déchiffrer les signes graphiques des Mayas, ce qui a permis de mieux comprendre l'histoire de ce peuple. Certains livres ont survécu jusqu'à nos jours, dont les plus connus sont le *Popol Vuh* et le *Chilam Balam*, ou « Livre du jaguar ».

MAYAS ET TOLTÈQUES

À son apogée, la civilisation maya fonda de nombreuses cités de pierre, créa un calendrier, ainsi qu'un système d'écriture hiéroglyphique. Religion et mythes étaient au cœur de la vie quotidienne. Les Mayas adressaient leurs prières au vent, à la terre et aux plantes, à la pluie et aux dieux animaux. Pour honorer les dieux, on construisit d'immenses pyramides surmontées de temples. L'année était ponctuée de festivités et de cérémonies données en leur honneur. La civilisation toltèque, organisée autour de sa métropole Tula, connut son apogée entre 900 et 1100. Les Toltèques reprirent les mythes des peuples qui les avaient précédés : leur principal dieu fut d'abord Quetzalcoatl, supplanté en 987 par Tezcatlipoca.

Ces quatre atlantes soutenaient autrefois le toit d'un temple de Tula, capitale toltèque, et se dressent encore de nos jours au sommet d'une pyramide, au Mexique.

LES AZTÈQUES
À l'arrivée des
Espagnols, en 1519,
les Aztèques
dominaient les autres
civilisations méso-
américaines. Tout un
pan de leur tradition avait
été emprunté à leurs
prédécesseurs, Mayas
et Toltèques notamment.
Les Aztèques assimilèrent aussi
l'apport culturel de ceux qu'ils
avaient vaincus. Il en résulta
une mythologie complexe, riche
de centaines de divinités dont
bon nombre étaient très proches
les unes des autres.
Parmi les principales, on
retiendra Tlaloc, Tezcatlipoca,
XIPE TOTEC et **HUITZILOPOCHTLI**.

Les Aztèques attendaient
le retour de Quetzalcoatl et,
en 1519, lorsque les Espagnols
arrivèrent au Mexique, certains
crurent que leur chef Cortés était
le dieu attendu, revenu prendre
possession de son royaume.
C'est ainsi que l'empereur
aztèque Moctezuma se laissa
capturer. En 1521, Cortés avait
anéanti l'Empire aztèque.

Ce serpent à deux
têtes représente
une divinité aztèque.
On pense que ce pendentif
était porté par un prêtre
lors des cérémonies
en l'honneur du dieu.

LES QUATRE SOLEILS

Les Aztèques considéraient
que leur monde avait été précédé
de quatre âges ou « soleils ».
À la fin du premier, les jaguars
avaient mangé la terre ; le second
s'était terminé par un ouragan ;
le troisième, par une pluie de feu ;
le quatrième, par un déluge.
Le cinquième devait se conclure
par un tremblement de terre.

Les Mayas pratiquaient un jeu
de ballon dans le cadre de rites
religieux. L'objectif était de faire
passer la balle dans des anneaux,
mais en ne se servant que des coudes
et des hanches. Hunahpu
et Xbalanque se mesurèrent
à ce jeu contre les seigneurs
des Enfers.

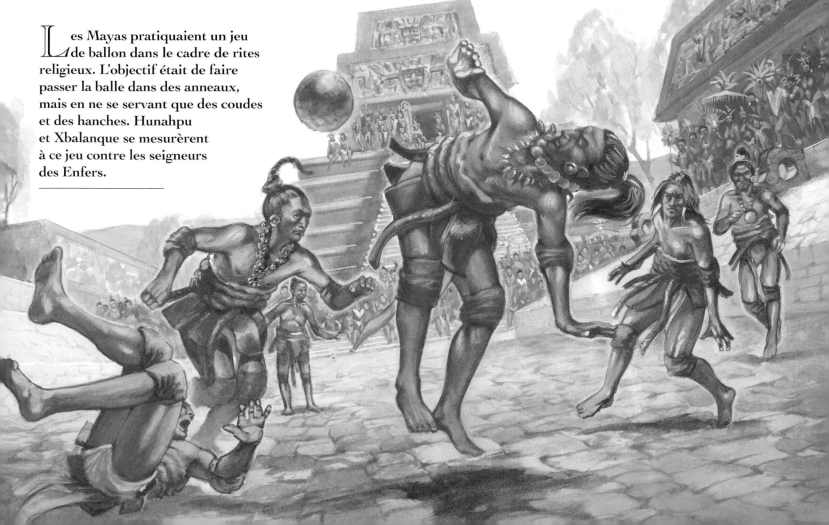

BACABS Quatre dieux jaguars géants soutenant le ciel, dans la mythologie maya. Ils veillent aux quatre points cardinaux, et chacun est d'une couleur différente. L'Est est rouge, le Nord est blanc, l'Ouest est noir et le Sud, jaune.

•

CABRACA Géant maléfique surnommé « le broyeur de montagnes » dans la mythologie maya. Fils cadet de **VUCUB-CAQUIX**, il fut anéanti par les jumeaux **HUNAHPU** et **XBALANQUE**. Les deux héros lui préparèrent de la volaille empoisonnée et, lorsque Cabraca l'eut avalée, il perdit toutes ses forces. Les jumeaux s'emparèrent de lui et l'ensevelirent vivant.

•

CAMAZOTZ Chez les Mayas, dieu chauve-souris aux dents acérées. Il s'attaqua aux jumeaux **HUNAHPU** et **XBALANQUE** lorsque ceux-ci descendirent aux Enfers et trancha la tête du premier. Il est souvent représenté un couteau sacrificiel à la main, tenant de l'autre la victime qu'il s'apprête à immoler. Chez les Mayas, les Enfers se nomment Xibalda et se divisent en plusieurs lieux différents : maison des ténèbres, maison du froid, maison des jaguars, maison du feu...

•

CENTEOTL Chez les Aztèques, jeune dieu du maïs souvent représenté portant une coiffe d'épis. Son nom signifie « Seigneur de l'épi de maïs ». Protégé par **TLALOC**, c'est un dieu très vénéré car le maïs est la principale culture des Aztèques.

•

COATLICUE Déesse de la terre, chez les Aztèques. Vêtue d'une jupe de serpents, pourvue de griffes acérées, elle est assoiffée de sang et de chair humaine. Un jour, une boule de plumes blanches tombée du ciel lui toucha le sein : elle en fut fécondée et donna naissance à **HUITZILOPOCHTLI**.

Le thème des hommes-jaguars est récurrent dans la mythologie olmèque. Ils sont en général représentés la gueule ouverte et symbolisent le monde surnaturel.

EHECATL Dieu du vent chez les Aztèques, et l'une des formes de **QUETZALCOATL**. Il apporta l'amour au monde lorsqu'il enleva des Enfers la belle **MAYAHUEL**. Ils devinrent amants et formèrent ensemble un arbre magnifique, dont Ehecatl constituait une branche et Mayahuel l'autre branche. La vieille Tzitzimitl, chargée de garder Mayahuel, se lança à la poursuite des deux jeunes gens et fendit l'arbre en deux. La branche de Mayahuel fut déchiquetée et donnée aux démons serviteurs de Tzitzimitl, qui la dévorèrent. Mais la branche d'Ehecatl resta intacte et le dieu reprit sa forme première. Il ramassa les os de Mayahuel et les planta dans les champs. De ses os naquit l'agave, dont on fait une boisson alcoolisée, le pulque.

•

GUCUMATZ Dieu créateur maya qui revêtit la forme d'un serpent couvert de plumes. Il fut vénéré sous le nom de Kukulkan chez les Toltèques. Avec **TEPEU**, il créa le monde, les animaux et les plantes. Après plusieurs tentatives infructueuses, ils créèrent aussi les humains : ils employèrent d'abord de l'argile, mais les hommes tombèrent en miettes. Puis ils utilisèrent le bois, mais leurs créatures avaient l'air de marionnettes. Ils façonnèrent ensuite des êtres de chair, mais ils devinrent méchants et malfaisants, et il fallut les détruire. Enfin, ils créèrent des hommes avec de la farine de maïs, qui allaient devenir les ancêtres des Mayas.

•

HUITZILOPOCHTLI Dieu du soleil et de la guerre chez les Aztèques. Lorsque **COATLICUE** le mit au monde, il était vêtu d'une armure bleue, la tête auréolée de plumes d'oiseau-mouche. Aussitôt né, il commença par tuer ses frères et sœurs. Les Aztèques primitifs le prirent pour guide lorsqu'ils partirent en quête de leur terre promise, et se mirent en marche précédés de son effigie. Il devint alors le dieu protecteur de ce peuple, qui lui offrait en sacrifice les ennemis capturés au cours des batailles.

•

HUNAHPU et **XBALANQUE** Frères jumeaux, fils de **HUN-HUNAHPU**. Héros populaires de la mythologie maya, ils vainquirent **VUCUB-CAQUIX**, l'oiseau monstrueux et arrogant,

ainsi que ses fils, les géants **ZIPACNA** et **CABRACA**. Puis ils descendirent aux Enfers pour venger leur père, tué par les dieux de la mort. Après maintes péripéties, au cours desquelles Hunahpu eut la tête tranchée par **CAMAZOTZ** (il en reçut une nouvelle que lui donna une tortue), les dieux de la mort furent vaincus. Les jumeaux s'élevèrent ensuite aux cieux, où ils devinrent le soleil et la lune.

•

HUNHAU Dieu de la mort dans la tradition maya, également appelé Ah Puch. Son corps est un cadavre en décomposition et son emblème est le hibou, annonciateur d'une mort prochaine.

•

HUN-HUNAHPU Dieu primordial ancêtre des Mayas. Il aimait beaucoup jouer à la balle, mais le bruit qu'il faisait déplaisait aux dieux de la mort qui l'invitèrent par ruse à descendre aux Enfers. Le dieu subit une succession d'épreuves et finit par échouer. Les dieux de la mort lui coupèrent la tête, puis la suspendirent aux branches d'un calebassier. Un jour, une jeune fille passa sous l'arbre et la tête de Hun-Hunahpu lui cracha dans la main. Elle en fut enceinte et mit au monde les jumeaux **HUNAHPU** et **XBALANQUE**.

•

HURACAN Dieu des tempêtes et l'un des principaux dieux créateurs chez les Mayas. Notre mot français « ouragan » vient de son nom.

•

ITZAMNA Dieu suprême des Mayas, aussi appelé le « Dieu au-dessus de tous ». C'est lui qui enseigna aux hommes le culte des divinités et leur apprit les arts de la civilisation.

Chez les Aztèques, le dieu de la mort Mictlantecuhtli régnait sur Mictlan qui, plus qu'un lieu de désespoir, était le royaume de l'ennui.

MAYAHUEL Dans la tradition aztèque, belle jeune fille gardée aux Enfers par une vieille femme du nom de Tzitzimitl. Mayahuel s'échappa en compagnie d'**EHECATL**, qui devint son amant. Tous deux apportèrent l'amour sur terre.

•

MICTLANTECUHTLI Dieu des Enfers chez les Aztèques. Avec son épouse, il règne sur Mictlan, le royaume sombre et funèbre situé au centre de la terre, où se rendent après leur mort les âmes indignes.

•

NANAUTZIN Dieu aztèque. En un temps où régnaient les ténèbres, les dieux décidèrent qu'il fallait sacrifier l'un d'entre eux pour que la lumière éclaire le monde. Tous les dieux reculèrent de peur, sauf Nanautzin, qui se jeta dans les flammes et réapparut à l'Orient, en tant que soleil.

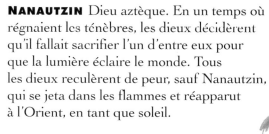

Les jumeaux Hunahpu et Xbalanque, armés de leur sarbacane, attaquent Vucub-Caquix, l'oiseau monstrueux.

Ce crâne humain orné de turquoises représente le dieu Tezcatlipoca. La pierre noire des yeux symbolise le miroir du dieu qui voit tout.

OMECIHUATL Partenaire féminin du dieu suprême Ometecuhtli chez les Aztèques. Elle accoucha d'un couteau de pierre qu'elle jeta sur terre et dont naquirent mille six cents héros. Ceux-ci décidèrent qu'il leur fallait des serviteurs et, avec l'aide de **XOLOTL**, ils créèrent le premier homme et la première femme pour peupler la terre de travailleurs.

QUETZALCOATL L'un des grands dieux aztèques, qui revêt la forme d'un serpent à plumes. Dieu bienveillant, il unit toutes les forces antagonistes qui divisent le monde. On pense que ce dieu a pour antécédent un souverain appartenant à la légende toltèque. Il est difficile de savoir, dans certains récits, s'il est question du dieu ou du roi. C'est lui qui, selon la légende, fit don aux hommes du maïs, de la science et du calendrier. Selon un récit, Quetzalcoatl coucha avec sa sœur alors que **TEZCATLIPOCA** les avait enivrés. À son réveil, il eut tellement honte de lui-même qu'il construisit un immense bûcher et se jeta dans les flammes. Les cendres se transformèrent en oiseaux qui transportèrent son cœur dans les cieux, où il devint la planète Vénus, l'astre le plus brillant dans le ciel du soir.

TECCIZTECATL Dieu noble et fier de la mythologie aztèque. Au temps des ténèbres, il prétendit qu'il était prêt à se sacrifier sur un grand bûcher pour réapparaître sous l'aspect du soleil. Le bûcher fut dressé, mais Tecciztecatl perdit courage et c'est l'humble **NANAUTZIN** qui se jeta dans les flammes à sa place. Un tel héroïsme redonna courage à Tecciztecatl, qui suivit Nanautzin dans les flammes et devint la lune.

TEPEU Dieu maya, créateur de la terre et de tous les êtres vivants avec **GUCUMATZ**. Les dieux durent s'y reprendre à plusieurs reprises avant d'être satisfaits des hommes qu'ils avaient créés.

TEZCATLIPOCA Dieu du plaisir et du péché chez les Toltèques, plus tard adopté par les Aztèques comme dieu solaire. Ennemi acharné de **QUETZALCOATL**, il le corrompt en l'initiant à la boisson et aux plaisirs charnels. Son nom signifie « Dieu au Miroir Fumant » : un miroir d'obsidienne (pierre de couleur noire) remplace son pied, coupé par le monstre de la terre avant le commencement de la création. De nature capricieuse, il provoque tantôt le mal et la misère, tantôt la santé et la bonne fortune.

TLALOC Dieu de la pluie chez les Toltèques et chez les Aztèques, appelé Chac par les Mayas. Son nom signifie « Celui qui fait germer » car il apporte la pluie fécondante qui fait croître les cultures. Il est vêtu d'un filet de nuages, porte une couronne de plumes de héron, des sandales d'écume, et tient à la main les crécelles qui font retentir le tonnerre. Il gouverne un jardin nommé Tlalocan, paradis aztèque où se rendent ceux qui sont morts de noyade.

TONATIUH Dieu solaire qui gouverne un paradis appelé Tollan, dans la tradition aztèque, où se rendent les âmes des guerriers tués au combat et des femmes mortes en couches.

VUCUB-CAQUIX Oiseau monstrueux de la mythologie maya. Il se prétendait divin et se proclamait soleil et lune. Il fut anéanti par les héros **HUNAHPU** et **XBALANQUE**.

XIPE TOTEC Dieu du printemps et de la fertilité chez les Aztèques, dont le nom signifie « Seigneur écorché ». Il s'était immolé en s'écorchant vif, dans un geste semblable à l'éclatement des feuilles de maïs écartées par les jeunes épis. Lors des festivités données en son honneur, les prêtres portaient la peau des victimes humaines sacrifiées au dieu.

XIUHTECUHTLI Dieu du feu et du temps, dans la mythologie aztèque. À la fin d'un cycle de cinquante-deux ans, les Aztèques renouvelaient le temps lors d'une grande cérémonie. Tous les feux étaient éteints et un nouveau foyer était allumé dans la poitrine d'une victime sacrificielle.

LES SACRIFICES

Les envahisseurs espagnols se dirent horrifiés par les sacrifices humains pratiqués par les Aztèques. Selon une légende, le dieu solaire **HUITZILOPOCHTLI** aurait déclaré : « La guerre est ma tâche et ma mission. » Sa soif permanente de victimes était un reflet des inclinations guerrières du peuple aztèque. Il semble cependant que presque toutes les civilisations précolombiennes aient pratiqué des sacrifices humains, essentiellement lors de festivités religieuses. On immolait même des enfants dont les larmes, disait-on, faisaient venir la pluie. Les Aztèques opéraient leurs sacrifices en extrayant le cœur de la victime à l'aide d'un couteau de pierre. Le cœur était ensuite brûlé en offrande à Huitzilopochtli.

XOCHIQUETZAL Déesse aztèque des fleurs, de la beauté et de l'amour, protectrice des orfèvres, des sculpteurs et des peintres. Son nom signifie « Fleur-plume précieuse ». Elle était l'épouse de **TLALOC**, mais le dieu **TEZCATLIPOCA** tomba amoureux d'elle et l'enleva.

•

XOLOTL Dieu aztèque à corps de chien, frère jumeau de **QUETZALCOATL**. Aux premiers jours de la création, les hommes furent exterminés par les dieux. Les héros nés du couteau de pierre d'**OMECIHUATL**, seuls habitants de la terre, décidèrent de créer de nouveaux hommes pour en faire leurs serviteurs. Ils envoyèrent Xolotl au royaume des morts, avec pour mission d'en rapporter un os ayant appartenu à l'un des premiers hommes. Lorsque leur messager fut revenu, ils aspergèrent l'os de leur sang : il en naquit un garçon et une fille. Xolotl éleva les enfants au lait de chardon, et la terre fut de nouveau peuplée d'hommes.

YIACATECUHTLI Dieu protecteur des marchands qui sillonnèrent l'Amérique centrale jusqu'à l'invasion espagnole. On l'appelait « Seigneur du nez » en raison de la longueur de son nez.

•

ZIPACNA Géant de la mythologie maya, fils aîné de **VUCUB-CAQUIX**. D'une force prodigieuse, il était capable de porter des montagnes sur son dos. Il laissa un jour croire à une armée de quatre cents guerriers qu'ils l'avaient tué. Tandis que ceux-ci fêtaient leur victoire, il abattit sur leur tête la maison où ils se trouvaient. Aucun n'en réchappa et tous devinrent des étoiles dans le ciel de la nuit. Les dieux donnèrent pour mission aux jumeaux **HUNAHPU** et **XBALANQUE** d'anéantir Zipacna et son frère **CABRACA**. Par ruse, les deux héros l'attirèrent dans une grotte, au plus profond d'une montagne, au moyen d'un crabe appétissant, son mets favori. Lorsque le géant atteignit le fond de la grotte, ils n'eurent plus qu'à faire s'effondrer la montagne sur lui.

L'AMAZONIE

Le bassin de l'Amazone, en Amérique du Sud,
couvre de gigantesques étendues et traverse
de nombreux pays. C'est une zone où domine
une grande forêt pluviale, la plus vaste du monde.
Des peuples y vivent depuis des millénaires,
qui tirent leurs ressources de la forêt et du fleuve.
Outre la chasse et la pêche, ils pratiquent une agriculture
vivrière. La plupart vivent en collectivité, dans de vastes bâtiments
appelés *malocas*. C'est là que les chamans et les anciens transmettent
les mythes aux autres membres de la communauté.
Même si ce n'est plus le cas aujourd'hui, l'état de guerre était jadis très
courant et la mythologie en est le reflet. Certains
mythes ont parfois d'abord été le récit d'une
bataille réelle. À mesure que le récit
se transmettait, la bataille finissait par
devenir mythique. En raison de la petite
taille de ces sociétés, chaque mythologie

LES MYTHES DU XINGU

L'essentiel de ce que nous
connaissons des mythes
amazoniens, nous le devons aux
anthropologues. Ces chercheurs
ont partagé l'existence de certains
peuples, souvent pendant
de longues périodes. La plupart
des mythes mentionnés ci-après
ont été colligés lors d'études
menées dans la vallée du Xingu.

rend compte de l'histoire et
de la géographie particulières
à tel ou tel peuple, mais aussi
de ses coutumes et de ses tabous.
Les mythes universels, comme
ceux qui expliquent les origines
du soleil, sont aussi ancrés dans
l'environnement local. Le soleil
et la lune sont présentés comme
des étrangers, et dans la légende
de **MAVUTSINIM**, née dans la
région du Xingu, ils apparaissent
après le premier homme.

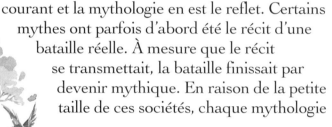

Un mythe du peuple kamaïura
raconte comment Kuat, le
dieu soleil, fit don de la lumière aux
hommes. Au commencement, tout
n'était que ténèbres, les hommes ne
pouvaient ni travailler ni se nourrir.
Kuat captura Urubutsin, le roi
des oiseaux et le contraignit
à partager le jour avec
les hommes.

LE FLEUVE AMAZONE

De nombreux mythes, telle la légende de **PAHMURI-MAHSE**, exposent la façon dont un peuple a choisi son lieu d'implantation. Il est souvent question de déluge ou de crues, et le fleuve joue un rôle essentiel. L'Amazone occupe en effet une place centrale dans le pays, tant pour l'importance de ses ressources que comme voie de transport.

Certains mythes liés aux étapes importantes de la vie : naissance, passage de l'adolescence à la société des adultes, mariage, mort... sont généralement associés à des cérémonies rituelles. D'autres concernent les traditions, notamment celles liées à l'alimentation. Les peuples d'Amazonie croient en une myriade d'ogres, de démons et d'esprits. Certains esprits revêtent l'aspect d'animaux, d'autres sont les âmes des morts. Ils sont puissants,

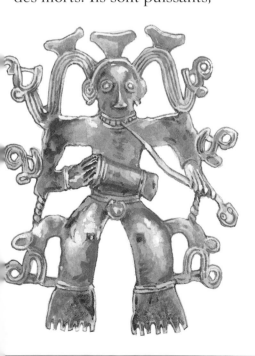

tantôt bienveillants, tantôt maléfiques, et leur monde côtoie le nôtre.

On communique avec les esprits par le truchement de chamans, prêtres qui ont une compréhension particulière du monde surnaturel et reçoivent une formation à la médecine ancestrale.

Lors des cérémonies rituelles, les chamans, et parfois les anciens également, ont recours aux techniques de l'extase et de la transe, en général après avoir absorbé des drogues à base de plantes, variables d'une tribu à l'autre. Ils interprètent ensuite leurs « visions » en fonction du moment, avant de prodiguer leurs soins et leurs conseils.

La légende de l'Eldorado, pays où l'or aurait été partout en abondance, n'était qu'une chimère européenne. Les civilisations sud-américaines produisirent d'extraordinaires ouvrages d'orfèvrerie, ce qui aiguisa la cupidité des Européens.

Les peuples d'Amazonie ne sont pas les seuls à vénérer le jaguar, que l'on rencontre dans de nombreux récits sur tout le continent.

Ce sont surtout les chamans et les chefs qui apprennent et transmettent les mythes. Si les peuples d'Amazonie ont conservé leur mythologie intacte jusqu'à nos jours, certains récits ont été adaptés pour expliquer l'existence de l'homme blanc, par exemple l'histoire d'**OMAM**, le dieu créateur des Yanomamis. Mais l'influence extérieure et la présence d'un monde qui se resserre ont surtout mis en péril l'immense diversité des sociétés et le foisonnement des mythologies amazoniennes.

Aravatura, parti à la recherche de l'esprit de son meilleur ami, assista à la bataille entre les esprits et les oiseaux.

ARAVATURA Héros des peuples de la vallée du Xingu. Il partit un jour à la recherche de l'esprit d'un ami. Ce fut pour lui l'occasion de découvrir le destin des esprits après la mort. Il trouva tous les esprits, dont celui de son ami, en route pour livrer bataille aux oiseaux. Ceux qui étaient vaincus se faisaient dévorer par un grand aigle, et c'était là leur mort définitive. Aravatura revint malade de son expédition, à cause de la puanteur des esprits. Il fut guéri par les chamans de sa tribu.

AROTEH et **TOVAPOD** Ces deux magiciens appartiennent à la mythologie des Tupis du Brésil. Au commencement des temps, hommes et femmes vivaient sous terre, où ils ne trouvaient pas grand-chose pour se nourrir. Une nuit, quelques-uns montèrent à la surface, sortirent par un trou et volèrent de la nourriture aux magiciens. Ceux-ci agrandirent le trou, et des hordes d'hommes en sortirent. Ils étaient hideux, les pieds palmés, le visage enlaidi de boutoirs de sanglier. Aroteh et Tovapod brisèrent les défenses, remodelèrent leurs pieds et leur donnèrent ainsi figure humaine.

BOÏUNA Cette redoutable déesse-serpent habite les fleuves de l'Amazonie. Ses yeux sont comme des lanternes, elle dévore toute créature vivante, et son seul regard peut rendre une femme enceinte.

IAMURICUMA D'après les récits de la vallée du Xingu, ces guerrières transformées en esprits peuvent capturer ceux qui les regardent. On raconte qu'elles se sont coupé le sein droit pour tirer à l'arc plus commodément, tout comme les Amazones de la mythologie grecque. Leurs aventures sont connues dans toute l'Amazonie. C'est d'ailleurs pour cette raison que les Européens ont ainsi baptisé la région.

JURAPARI Fils d'une jeune fille vierge, selon un mythe du peuple tupi. À sa naissance, les femmes gouvernaient le monde, mais lorsqu'il fut grand, Jurapari leur prit le pouvoir pour le donner aux hommes. Il leur dit d'organiser des fêtes pour célébrer leur pouvoir. Les femmes n'étaient pas admises à ces festivités ; si elles transgressaient la loi, elles étaient punies de mort.

KANASSA Héros du peuple kiukuru, dans la vallée du Xingu. C'est lui qui rapporta le feu du ciel, donna au hocco (volatile des tropiques) sa coiffe, à l'alligator sa queue plate, et apprit au canard à nager.

KUAMUCUCA Une légende de la vallée du Xingu relate comment la tribu des Kuamucucas, avec l'aide de la lune et du soleil, envahit un jour le village des jaguars et tua tous les félins. Les vainqueurs prirent leurs griffes pour s'en faire des colliers, mais le soleil les mit en garde, leur interdisant de manger la chair des félins. De nos jours encore, on ne consomme jamais de jaguar.

KUARUP C'est ainsi que l'on nomme les festivités données lors de la mort d'une personnalité importante, dans la vallée du Xingu. **MAVUTSINIM**, le premier homme, voulut un jour rendre les morts à la vie : il apporta au village des bûches (*kuarup*) qu'il avait habillées. Son projet était sur le point de se réaliser, mais un homme désobéit à ses ordres, et les bûches restèrent de bois.

KUAT Dieu du soleil chez les Kamaïuras. Au commencement des temps, le monde des hommes était dans les ténèbres, mais la lumière brillait au royaume des oiseaux. Kuat se dissimula dans un cadavre en décomposition et lorsque Urubutsin, le roi des oiseaux, vint pour en faire un festin, Kuat l'attrapa par la patte. Il refusa de relâcher le roi jusqu'à ce qu'il promît de partager la lumière de son royaume avec les hommes.

●

MAVUTSINIM Le premier homme, selon la tradition d'un peuple de la vallée du Xingu. Un jour, il fut capturé par des jaguars et, pour obtenir la vie sauve, promit de leur offrir ses filles. À la place, il envoya des mannequins de bois. Les jaguars en épousèrent néanmoins deux. L'une des deux « jeunes filles » tomba enceinte et accoucha de jumeaux, mais sa belle-mère, jalouse, la tua. Les deux enfants survécurent et devinrent le soleil et la lune.

●

MONAN Chez les Tupinambas, il est le dieu créateur de la terre, du ciel et des animaux. Les hommes, qu'il avait également créés, se conduisirent très mal et Monan les extermina par le feu. Un seul d'entre eux, Irin-Maje, échappa au massacre. Pour éteindre le feu, Monan envoya de l'eau, qui devint la mer. Après lui vint Maïre Monan, qui donna un nom aux différentes espèces d'animaux et enseigna aux hommes la civilisation et l'agriculture.

●

OMAM Nom du dieu créateur chez les Yanomamis. Il revêt l'aspect d'un oiseau. On lui attribue la création de toutes choses au monde — les villes, leurs habitants et leurs usines, aussi bien que l'ensemble des peuples de l'Amazonie.

●

PAHMURI-MAHSE Héros du peuple tukano, qui reçut du dieu du soleil l'ordre de monter à bord d'une immense embarcation en forme d'anaconda (grand serpent tropical) et de remonter le courant du fleuve. Partout où le grand canoë accostait était fondé un village. Des esprits enseignèrent ensuite aux hommes les règles sociales qu'ils devaient observer.

TOVAPOD (voir **AROTEH**)

●

VALEJDAD Selon la tradition du peuple tupi, Valejdad et son frère Vab furent les premiers hommes. Ils naquirent d'un grand et magnifique rocher, qui était femme. Mais comme Valejdad s'avéra être un magicien malfaisant, il fut banni dans le nord lointain. Lorsqu'il est en colère, il pleut.

●

YAJE Selon un récit des Tukanos, Yaje fut fécondée par le soleil et donna naissance à un fils. Elle frotta l'enfant avec une certaine plante jusqu'à ce qu'il fût rouge et luisant, puis elle le porta aux premiers hommes. Chacun d'eux revendiqua la paternité de l'enfant et en arracha un morceau. C'est ainsi que chaque tribu possède le secret de la plante qui permet d'avoir la vision du monde des esprits.

Les cours d'eau et les embarcations apparaissent souvent dans la mythologie amazonienne — ainsi dans la légende de Pahmuri-Mahse, qui remonte le fleuve dans un canoë sculpté en forme d'anaconda.

L'AMÉRIQUE DU SUD

Avant la venue des Européens, l'Amérique du Sud était essentiellement peuplée de petites communautés. Dans certaines régions, notamment dans les Andes, de brillantes civilisations virent le jour, généralement nommées d'après leurs métropoles ou leurs principaux sites archéologiques. Parmi les plus anciennes figurent la civilisation de Chavín, florissante de 850 à 200 av. J.-C., la culture nazca (200 av. J.-C.-600 ap. J.-C.) et celle de la vallée de la Mochica (IIᵉ-VIIIᵉ siècle ap. J.-C.).

LES PREMIERS DIEUX

Les recherches archéologiques permettent de penser que les mythologies andines accordaient une place prépondérante à la nature et aux phénomènes naturels, ainsi qu'au monde animal. De nombreuses sculptures ont été mises au jour, représentant des créatures fabuleuses qui tiennent du jaguar, du serpent ou du condor. Une autre civilisation originale et puissante eut pour centre le site de Tiahuanaco-Huari, entre le Vᵉ siècle avant et le XIIᵉ siècle ap. J.-C. On ne connaît presque rien de cette civilisation, mais on pense, au vu des sculptures de ses temples,

qu'elle adorait un dieu analogue à **VIRACOCHA**, chez les Incas. L'Empire des Chimus, au Pérou, atteint quant à lui l'apogée de sa puissance du XIᵉ siècle à 1466, quand il fut soumis par les Incas. Sa capitale Chanchan était une vaste cité entourée de multiples enceintes. On sait seulement que les Chimus attribuaient à quatre étoiles la création de leurs ancêtres et qu'ils vénéraient un dieu lunaire (Si), ainsi qu'un dieu marin (Ni).

Les Incas momifiaient leurs morts et les plaçaient dans des tombeaux de pierre. Tout autour du corps, ils disposaient des offrandes (nourriture, outils, objets du défunt), pour faciliter sa vie dans l'au-delà.

LES INCAS

À l'époque de la conquête espagnole, les Andes étaient dominées par la civilisation inca. L'expansion de l'Empire inca autour de Cuzco, son centre et sa capitale, commença vers 1438. Moins d'un siècle plus tard, en 1525, il s'étendait sur près de quatre mille kilomètres. Religion et mythes jouaient un rôle très important dans la vie quotidienne. Au sommet de la hiérarchie divine se trouvait le dieu créateur Viracocha avec, à ses côtés, le dieu solaire **INTI**. Celui-ci figurait au centre d'un culte voué au soleil : les Incas considéraient que leurs ancêtres étaient fils du soleil. Leur souverain, le Sapa Inca, avait coutume, à l'instar de ses ancêtres divins, d'épouser ses sœurs. Les récits fondateurs de la civilisation inca furent souvent empruntés à d'autres mythologies assimilées au fil des conquêtes, par exemple, les légendes de Viracocha et de **THUNUPA**. Les Incas se disaient redevables aux dieux de leur civilisation : ceux-ci leur avaient enseigné les techniques de l'irrigation et de l'agriculture, ainsi que la couture et la lecture.

En dehors de l'Empire, d'autres civilisations s'étaient dotées d'une culture reposant sur la mythologie inca, ainsi les Muiscas, peuple des hautes terres de Colombie, également soumis par les Espagnols au début du XVIᵉ siècle. Le mythe de **BOCHICA**, le dieu suprême des Muiscas, souvent identifié au héros **NEMTEREQUETEBA**, n'est pas sans ressemblance avec les légendes de Viracocha et de Thunupa. Les récits attribuant la création à un dieu suprême abondent dans toute l'Amérique du Sud.

DES ÂGES SUCCESSIFS

Selon les Incas, chaque ère nouvelle était l'image inverse de la précédente : ce qui dominait auparavant était appelé à être dominé, et inversement. Le règne des Incas correspond ainsi à un âge, puis la défaite devant les Espagnols au *pachakuti*, bouleversement qui devait inaugurer l'âge suivant.

Manche de couteau rituel en or incrusté de turquoises. Cette pièce d'orfèvrerie chimu fut sans doute réalisée en hommage à un dieu.

Chibchacum, dieu des Muiscas (autrefois appelés Chibchas), est condamné à porter le monde sur ses épaules. Chaque fois qu'il remet en place son lourd fardeau, il provoque un tremblement de terre.

BACHUE Déesse-mère protectrice des récoltes dans la tradition du peuple muisca, en Colombie. Lors de la création du monde, elle sortit d'un lac sacré avec un enfant âgé de trois ans. Quand le garçon fut nubile, Bachue l'épousa et leurs enfants peuplèrent le monde. Après avoir accompli leurs devoirs de parents, Bachue et son époux se transformèrent en serpents et retournèrent au lac sacré d'où ils étaient sortis.

•

BOCHICA Dieu suprême des Muiscas, parfois vénéré sous le nom de Zue, dieu solaire. Bochica enseigna aux hommes les lois de la civilisation. C'est pour cette raison qu'il était souvent associé au héros **NEMTEREQUETEBA**.

•

CARI et **ZAPANA** Deux chefs boliviens de la région du Collao, selon la légende inca. Cari demanda l'aide des Incas dans la guerre qui l'opposait à Zapana, et les Incas saisirent cette occasion pour soumettre les deux peuples. Certains pensent que cette légende est inspirée de la chute de la civilisation de Tiahuanaco, dont on ne connaît presque rien.

•

CHIBCHACUM Dieu des agriculteurs et des marchands, dans la tradition des Muiscas. Il est surtout connu pour avoir provoqué un déluge afin d'anéantir l'humanité. Les hommes furent sauvés par **BOCHICA**, qui utilisa son sceptre d'or pour que les eaux puissent s'évacuer. Prenant la forme du soleil, il sécha les terres détrempées d'eau. Chibchacum prit la fuite, mais reçut pour châtiment de tenir le monde sur ses épaules.

•

CONIRAYA Dieu créateur du peuple péruvien des Huarochiris. Il vint un jour sur terre déguisé en pauvre homme et tomba amoureux d'une jeune fille, Cabillaca. Il fit tomber un fruit magique à côté de la jeune fille, qui le mangea et fut enceinte. Elle se demandait qui pouvait bien être le père de son enfant et, à sa naissance, elle appela tous les dieux. Elle demanda alors au bébé de lui désigner son père : le bébé rampa vers Coniraya, vêtu de haillons. Cabillaca éprouva une telle honte qu'elle prit l'enfant dans ses bras et plongea dans la mer, où tous deux furent changés en rochers.

•

CON TICCI VIRACOCHA Dieu créateur des peuples péruviens du Collao. Plus ancien que **VIRACOCHA**, dieu suprême des Incas, il créa le soleil et sculpta dans la pierre les ancêtres de chaque tribu, qu'il disposa ensuite en divers endroits de la terre. Il donna la vie à ses sculptures de pierre et leur ordonna de le vénérer.

•

CORI OCCLO L'une des quatre sœurs primordiales de la tradition inca. Elle fut envoyée à la recherche d'un lieu d'implantation et son choix se porta sur Cuzco, qui fut nommé d'après son second frère, **CUSCO HUANCA**.

•

CUSCO HUANCA Deuxième des quatre frères primordiaux de la tradition inca. Selon l'un des mythes fondateurs du peuple inca, il fut le premier souverain de Cuzco.

EKKEKO Dieu du foyer chez les peuples des hautes terres du Pérou. On le représente comme un petit homme tout rond, couvert d'ustensiles minuscules. Selon une légende, il règne sur une cité miniature. De nos jours encore, on porte sur soi de petits portraits du dieu pour trouver à se marier ou comme porte-bonheur.

•

HUACAS Lieux sacrés, soit qu'ils aient été le théâtre d'un événement important, soit de par leur forme : montagnes ou rocs étaient souvent considérés comme l'aspect visible d'un esprit ou d'une divinité. Certains rochers servaient ainsi de bornes, d'autres étaient protecteurs et gardiens des champs et des cultures.

•

HUANA CAURI L'aîné des quatre frères primordiaux chez les Incas. Il s'établit dans la montagne, sur un mont que l'on nomma ensuite Huana Cauri en son honneur. Un autre récit lui donne le nom d'Ayar Cachi et le décrit comme un incorrigible vantard.

Las de l'entendre, ses frères et sœurs finirent par l'emmurer dans la montagne.

•

HUATHIACURI Fils de **PARIACACA**, dieu de la tempête chez les peuples de l'ouest du Pérou. Un jour, il rencontra un homme fortuné trompé par son épouse. Par la faute de celle-ci, la vie de l'époux était dévorée par deux serpents. Huathiacuri fit avouer l'épouse : les serpents moururent et l'homme fut sauvé.

•

HUITACA Déesse de l'ivrognerie et de l'inconduite chez les Muiscas. Malfaisante, elle vint sur terre pour réduire à néant l'œuvre de **NEMTEREQUETEBA**, qui avait enseigné aux hommes les arts et la civilisation. Elle est parfois confondue avec Chia, la lune, épouse du dieu soleil Zue.

•

IMAYMANA VIRACOCHA Fils de **VIRACOCHA**, dieu créateur des Incas. Il voyagea par les monts et les vallées, donnant un nom

Selon une légende, tous les Incas descendent d'Inti, qui envoya sur terre ses enfants Manco Capac et Mama Coya. Selon une autre, les premiers Incas furent les Ayars, qui sortirent d'une grotte, non loin du site de Cuzco. Les Ayars étaient quatre frères (Cusco Huanca, Huana Cauri, Manco Capac et Topa Ayar Cuchi) et quatre sœurs (Cori Occlo, Ipa Huaco, Mama Coya et Topa Huaco). Manco Capac épousa Mama Coya, et ils furent les premiers souverains. Ainsi naquit la coutume qui voulait que l'empereur épousât sa sœur. Elle recevait alors le titre de Coya.

Lorsqu'un empereur entre dans la capitale Cuzco, il y est accueilli par les vierges du soleil, qui ont reçu une formation religieuse pouvant durer jusqu'à sept ans. Parmi les vierges se trouve le corps momifié d'un ancien empereur, assis sur un trône. Derrière la momie, un masque d'or représente le dieu soleil Inti.

à chaque plante, et apprit aux hommes lesquelles étaient comestibles et lesquelles possédaient des vertus médicinales. Son frère cadet Tocapo Viracocha en fit autant dans les basses terres.

●

INTI Dieu soleil et la plus ancienne divinité inca après **VIRACOCHA**. Les Incas se disaient descendants d'Inti, qui envoya sur terre ses enfants **MANCO CAPAC** et **MAMA COYA** pour apporter les lois et la civilisation aux sauvages qui l'habitaient. Au cœur des pratiques religieuses, Inti est parfois considéré à tort comme le dieu suprême des Incas — sans doute parce que Viracocha est beaucoup plus distant et que l'on a tendance à l'oublier.

●

KHUNO Dieu de la neige et de la tempête chez les peuples des hautes vallées andines. Lorsque les hommes mirent le feu aux forêts pour défricher les terres afin de les cultiver, la fumée noircit les neiges des sommets. Khuno en fut si courroucé qu'il envoya un grand déluge. Pour survivre, les hommes durent alors se réfugier dans des cavernes. Lorsque les eaux se retirèrent, ils partirent en quête de nourriture et découvrirent une

nouvelle plante, la coca, aux étranges vertus : ils en mastiquèrent les feuilles et oublièrent la faim, le froid et leur malheur.

●

MAMA COYA Fille d'**INTI** ou, selon une autre légende, l'une des sœurs primordiales de la tradition inca, Occlo Huaco. Les deux versions concordent sur un point : elle épouse son frère **MANCO CAPAC** et devient première reine des Incas.

●

MANCO CAPAC Premier souverain inca. Selon un récit, il est fils du dieu soleil **INTI**. Une version moins glorieuse le présente comme un homme ordinaire qui se vêtit d'argent et monta au sommet d'une montagne, où il se présenta aux rayons du soleil. Ceux qui l'aperçurent en furent éblouis, et on le reçut comme le fils du soleil.

●

NEMTEREQUETEBA Héros légendaire des Muiscas, en Colombie. Il parcourut le pays, enseignant aux hommes les lois de la civilisation et l'art de tisser. Venu d'une lointaine contrée, on le décrivait portant de longs cheveux et une barbe bien fournie.

PACHACAMAC Dieu créateur des peuples établis le long des côtes du Pérou, fils du soleil et de la lune. Un dieu plus ancien, Con, avait créé les premiers hommes, mais Pachacamac le renversa et transforma ces hommes en singes. Il créa ensuite un nouveau couple mais ne lui accorda aucune nourriture. L'homme en mourut, la femme mit au monde un enfant qui lui apprit à se nourrir de plantes sauvages. Pachacamac en fut courroucé et tua l'enfant. Le maïs et toutes les plantes qui se cultivent naquirent du corps de l'enfant qu'il avait tué. Pachacamac fut par la suite confondu avec le dieu suprême des Incas, **VIRACOCHA**.

PACHAMAMA Terre-Mère, chez les Incas, et déesse de la faune et de la végétation. Plus tard, les chrétiens l'identifièrent à Marie, la mère de Jésus.

PARIACACA Dieu de l'orage et des inondations, vénéré par les peuples de l'ouest du Pérou. Il vainquit son rival, le dieu du feu, qui s'enfuit dans les montagnes. Pariacaca le poursuivit, mais le dieu du feu se réfugia dans la forêt vierge, laissant derrière lui un gigantesque serpent à deux têtes que Pariacaca pétrifia.

THUNUPA Héros légendaire et prédicateur, dans la tradition inca. Les récits le décrivent comme un homme assez âgé, à la barbe et aux cheveux gris, qui parcourait le pays, accomplissait des miracles et prêchait les lois de la morale. Certains ont pensé qu'il pouvait s'agir de saint Thomas, l'un des douze apôtres du Christ. De nombreux récits dans lesquels il figure semblent avoir subi l'influence du christianisme.

TUTUJANAWIN Dieu suprême péruvien, décrit comme le « Commencement et la fin de toutes choses », la puissance dispensatrice de toute vie et de toute énergie dans l'univers.

VIRACOCHA Dieu suprême des Incas et créateur de toutes choses. Omniprésent mais invisible, il est souvent représenté comme un vieil homme à longue barbe. Lorsqu'il eut créé les hommes, Viracocha leur enseigna les arts et les lois de la civilisation, en quoi il est très proche de **NEMTEREQUETEBA** et **THUNUPA**, avec lesquels on le confond parfois. Viracocha est un dieu très ancien, vénéré sous maintes formes par plusieurs civilisations antérieures aux Incas avant d'être adopté par ceux-ci. Devenu très distant, ses pouvoirs furent notamment repris par **INTI**.

YLLAPA Dieu du tonnerre chez les Incas, généralement représenté tenant une massue dans une main et une fronde dans l'autre.

Le dieu du tonnerre Yllapa recueille les eaux de la Voie lactée dans une grande jarre. Lorsque le dieu la frappe d'une pierre lancée avec sa fronde, la jarre vole en éclats et il se met à pleuvoir. Le tonnerre est le claquement de la fronde, et l'éclair le vol de la pierre vers sa cible.

LE PACIFIQUE SUD

Cette zone géographique comprend l'Océanie et l'Australie. On appelle Océanie les milliers d'îles éparpillées dans l'immensité de l'océan Pacifique, regroupées en trois grandes régions : la Mélanésie, la Micronésie et la Polynésie.

Les premiers peuples, venus par petits groupes de l'Asie du Sud-Est, atteignirent les îles océaniennes il y a plusieurs milliers d'années, pour s'établir en Mélanésie et en Micronésie. Les îles de Polynésie se peuplèrent plus tardivement, et les hommes ne gagnèrent la Nouvelle-Zélande qu'au VIIIᵉ siècle de notre ère. Les civilisations qui se créèrent demeurèrent intactes jusqu'à l'arrivée des Européens, au XIXᵉ siècle.

Le peuplement de l'Océanie relève d'une immense diversité ethnique, qui se reflète dans ses différentes mythologies. On y retrouve des traces indiennes et asiatiques, auxquelles s'ajoutent des mythes océaniens sur les origines du monde, ainsi que des récits relatifs à chaque peuple et à l'acquisition de ses lois et de ses coutumes. L'influence de l'océan est omniprésente.

L'Australie, très proche de l'Océanie, est un continent à part entière, dont le peuplement par les Aborigènes remonte à 50 000 ans au moins. La population étant répartie en clans indépendants, il n'existe pas de mythe commun, mais des thèmes récurrents, comme celui d'un héros civilisateur ou celui d'un âge révolu, le Temps du Rêve.

LA MÉLANÉSIE

● Détail d'une sculpture
conçue pour honorer
les ancêtres.

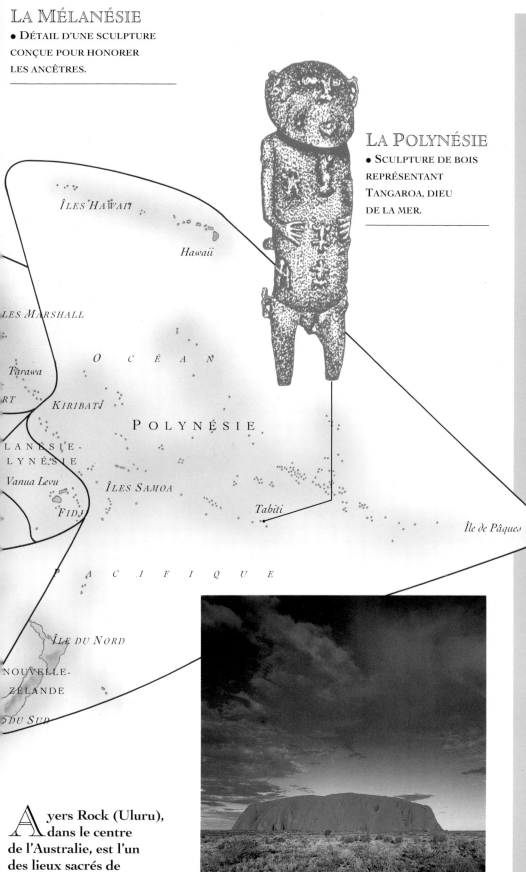

LA POLYNÉSIE

● Sculpture de bois
représentant
Tangaroa, dieu
de la mer.

ÎLES HAWAII

Hawaii

ÎLES MARSHALL

Tarawa

KIRIBATI

OCÉAN

POLYNÉSIE

MÉLANÉSIE-
POLYNÉSIE

Vanua Levu

ÎLES SAMOA

FIDJI

Tahiti

Île de Pâques

PACIFIQUE

ÎLE DU NORD

NOUVELLE-
ZÉLANDE

ÎLE DU SUD

Ayers Rock (Uluru),
dans le centre
de l'Australie, est l'un
des lieux sacrés de
la mythologie aborigène.

CHRONOLOGIE

v. 50000 av. J.-C.
Premier peuplement de l'Australie

v. 2000
Début du peuplement de la
Nouvelle-Guinée

●

v. 100 ap. J.-C.
Premier peuplement des îles
Hawaii

v. 300
Début de peuplement de Tahiti

v. 400
Les Polynésiens atteignent
l'île de Pâques

v. 650
Toutes les îles de Polynésie
sont habitées, à l'exception
de la Nouvelle-Zélande

v. 750
Début du peuplement
de l'île du Nord,
en Nouvelle-Zélande

v. 1000
Premières statues géantes
sur l'île de Pâques

v. 1200
Arrivée des Tahitiens
dans l'archipel des îles Hawaii,
soumission des peuples
autochtones

XVᵉ siècle
Des voyageurs indonésiens
explorent les côtes du nord
de l'Australie

1521
L'explorateur portugais
Magellan atteint l'île de Guam,
dans l'archipel des Mariannes

1606
Le Néerlandais Willem Jansz est
le premier Européen à apercevoir
l'Australie, par la péninsule
du cap d'York

1793
Les premiers colons européens
libres s'établissent en Australie

Depuis la fin du XIXᵉ siècle, la plupart des peuples d'Océanie
sont chrétiens, mais jusqu'alors ils vénéraient des divinités
et des esprits nombreux et chaque île possédait sa propre mythologie.

LA MÉLANÉSIE

Cette région s'étend de la Nouvelle-Guinée (la plus
grande de ses îles), à l'ouest, aux îles Fidji, à l'est.
On y trouve la plus grande diversité de langues au monde :
la Nouvelle-Guinée possède à elle seule plus de sept cents
idiomes. De nombreuses communautés vivent en petits
groupes épars dans les hautes vallées montagneuses,
souvent sans aucun contact les unes avec les autres.
L'immense diversité des mythologies reflète cet isolement,
mais certains thèmes se retrouvent cependant de l'une à
l'autre. Les mythes mélanésiens portent assez rarement
sur la genèse de l'univers : on considère que celui-ci
a toujours existé. En revanche, les récits consacrés
aux origines de l'homme sont plus fréquents. En Nouvelle-
Guinée, par exemple, un mythe dans lequel figure
KAMBEL, le ciel, conte que les premiers
hommes naquirent d'un arbre.

LE PRINCIPE DE MANA

Pour les peuples de Mélanésie,
Mana est une puissance
surnaturelle omniprésente.
Il est possible pour
un homme de s'approprier
son pouvoir, mais celui-ci
court le risque de revêtir
ensuite une nouvelle forme.

Les animaux sont souvent
présentés comme les ancêtres
d'une communauté — notamment
le crocodile et le serpent,
auquel on attribue un pouvoir
considérable : de la Nouvelle-
Guinée aux îles Fidji, distantes
de plus de 2 000 kilomètres,
on raconte nombre
de déluges provoqués
par des dieux-serpents.
Habiles et rusés, les héros
sont des personnages très
populaires, comme **QAT**
ou **TAKARO**. Ils ont parfois
des frères, avec lesquels ils
sont fréquemment en conflit.
Ainsi To Kabinaba agit pour le
bien de l'humanité, tandis que
son jumeau To Karvuvu
provoque catastrophe sur
catastrophe. C'est d'ailleurs par
sa faute que les hommes sont
devenus mortels. À l'origine,
il leur suffisait d'une mue pour

Certains mythes mélanésiens
content comment la mer
sépara les îles les unes des autres,
ainsi que les peuples continentaux
et les peuples marins.

Petit garçon, Olofat partit à la recherche de son père dans le royaume du ciel. Il rencontra des ouvriers occupés à construire une maison pour les esprits des morts. Lorsque les hommes virent ce jeune étranger, ils décidèrent de le mettre à mort et de l'intégrer aux fondations de la maison. Olofat leur échappa avec l'aide des termites, grimpa dans la charpente et terrifia tout le monde de ses cris.

qui mettent leur ruse et leur habileté au service de l'humanité, ou aux ancêtres primordiaux tels Nareau, Motitik et **OLOFAT**. Le culte des ancêtres est profondément ancré dans les traditions. Ainsi aux îles Gilbert les offrandes étaient destinées aussi bien aux ancêtres légendaires qu'aux divinités. Les différentes civilisations micronésiennes possédaient une littérature orale riche et foisonnante : poètes et conteurs jouissaient d'une très grande considération. Comme ailleurs, malheureusement, de vastes pans de cette culture furent anéantis par l'arrivée des Européens.

LA POLYNÉSIE

Cet ensemble d'îles forme un immense triangle dont les trois sommets sont la Nouvelle-Zélande, Hawaii et l'île de Pâques. Plusieurs milliers de kilomètres les séparent, et pourtant on y découvre des récits identiques, dans lesquels seuls diffèrent quelques noms, ou l'importance donnée à certains épisodes.

retrouver leur jeunesse. Mais un jour, la mère de To Karvuvu ayant accompli sa mue, le garçon ne la reconnut plus et en fut tout bouleversé. Elle reprit alors son ancienne dépouille pour le rassurer et, depuis ce temps, les hommes vieillissent et meurent.

LA MICRONÉSIE

Cette région, qui comprend Kiribati, les îles Marshall, les Carolines et les îles Mariannes, est la moins peuplée de l'Océanie. Les mythes y sont souvent semblables à ceux de Polynésie, bien que les noms des personnages diffèrent. Le récit décrivant les terres arrachées aux eaux de la mer est commun aux deux régions.

Dans un récit micronésien de la création, la terre et le ciel sont à l'origine étroitement embrassés, jusqu'au jour où l'araignée **NAREAU**, divinité créatrice, les sépare. On trouve en Polynésie un mythe équivalent : celui de **PAPA** et **RANGI**. Nombre de récits reflètent le rôle de l'océan. Certains racontent la vie d'Alouleï, dieu de la navigation, tué par ses frères dans un accès de jalousie mais ressuscité par son père qui le dote de milliers d'yeux pour le protéger. Ces yeux deviendront par la suite les étoiles qui guident les marins.

La croyance en un dieu suprême n'est pas inexistante, mais les Micronésiens s'intéressent davantage aux héros bienfaiteurs

TABURIMAI

Dans la mythologie des îles Gilbert, l'ancêtre primordial est Taburimai. Ses parents étaient des dieux poissons et son frère le requin Teanoi. Lui-même avait un corps d'homme et de son union avec une mortelle naquit un fils. Celui-ci épousa une déesse des arbres, avec laquelle il engendra les premiers hommes.

LES TABOUS

Dans la mythologie polynésienne, certains objets et paroles sont tabous, c'est-à-dire qu'ils ne peuvent être ni touchés ni prononcées. C'est parce qu'ils revêtent un caractère sacré ou impur. Certaines personnes, comme le chef de la tribu ou le prêtre, peuvent aussi être tabous.

De telles similitudes n'ont rien d'étonnant si l'on songe que leur mythologie suivait les Polynésiens chaque fois qu'ils s'établissaient dans une île nouvelle. Les longues traversées entre deux îles sont immortalisées dans les légendes de héros au long cours, partis vers les contrées les plus lointaines... La mythologie polynésienne, tout comme la civilisation dont elle est issue, est plus complexe que dans les autres régions d'Océanie. Beaucoup d'îles, dont la Nouvelle-Zélande, possédaient leurs écoles (appelées *wharés* par les Maoris) où l'on enseignait la tradition religieuse et mythologique. Il revenait aux prêtres et aux chefs de chaque tribu de transmettre les mythes, de veiller au respect des rites et de présider aux cérémonies.

Chez certains peuples, des comédiens allaient de lieu en lieu pour interpréter les mythes en public.

La mythologie polynésienne est enracinée dans l'opposition entre Atea, la lumière, et Po, les ténèbres. Po correspond au néant précédant la création, ainsi qu'au royaume des morts. Il existe une généalogie précise des dieux. Les deux principaux récits de la genèse sont le mythe de **TANGAROA**, en Polynésie occidentale, et le mythe de la séparation de **PAPA**, la terre, et de **RANGI**, le ciel, en Polynésie orientale et en Nouvelle-Zélande.

Leur fils **TANÉ** est le dieu du bois et, par conséquent, vénéré comme protecteur des embarcations et des maisons. Également importante, la déesse **HINÉ-NOUI-TÉ PO** gouverne le royaume des morts. Mais le personnage le plus populaire de la mythologie polynésienne est le héros **MAOUI**, qui rivalise avec les dieux pour le bienfait de l'humanité.

LES MYTHES ABORIGÈNES

Pendant des milliers d'années, les Aborigènes menèrent une vie de nomades et de chasseurs. En 1788, lorsque les colons européens prirent pied en Australie, les Aborigènes étaient au nombre de 300 000. Les Européens se montrèrent particulièrement cruels et injustes, dédaignant ces peuples sous prétexte qu'ils étaient

Le héros Maoui prit un jour le soleil dans un nœud coulant et le battit jusqu'à ce qu'il ne soit plus capable que de ramper. Le jour fut ainsi rallongé.

« primitifs ». Ils découvrirent avec étonnement que les Aborigènes possédaient peu de biens matériels, tout en ayant développé une mythologie riche et complexe.

Chez les Aborigènes, religion et mythes sont étroitement liés à la terre et à la nature. Selon leurs récits, le pays fut façonné par les esprits primordiaux au Temps du Rêve, ère qui précède la mémoire vivante. Des esprits revêtirent forme humaine, d'autres l'aspect d'animaux, et chacun contribua ainsi à la conception du monde : certains esprits-animaux donnèrent par exemple leur queue pour former les arbres. Ils créèrent aussi les hommes, les espèces animales et les plantes ; ils établirent les lois et les coutumes que les hommes devaient respecter. Une fois leur tâche achevée, les esprits se rendormirent.

Les hommes sont liés à ces ancêtres primordiaux par un totem. Ces totems, par lesquels s'établit la filiation de chacun, sont souvent des animaux. Chaque totem correspond à un lignage, tracé par un esprit pendant le Temps du Rêve.

Selon la tradition, une femme est fécondée lorsqu'un enfant-esprit la pénètre. Le totem du nouveau-né est alors fonction du lieu où se trouvait la mère au moment de la conception. Au cours de rites d'initiation, chacun est instruit de l'histoire de son totem, puis reçoit pour mission de transmettre son savoir.

Bien que le Rêve appartienne à un lointain passé, il redevient présent dans le cadre des cérémonies rituelles. Ceux qui y jouent un rôle deviennent, le temps de l'interprétation, l'ancêtre qu'ils incarnent et dont ils retracent l'itinéraire.

Les Aborigènes transmettent leurs mythes oralement mais aussi au moyen de peintures, sur des rochers ou des écorces. Dans le nord de l'Australie, on retouche chaque année les peintures rupestres représentant l'esprit du Rêve, pour renouveler sa bienveillance.

LE BOOMERANG

Cette arme revêt une importance primordiale pour les Aborigènes, qui l'utilisaient pour chasser. Selon un mythe des Binbingas, dans le nord de l'Australie, c'est le serpent Bobbi-bobbi qui l'aurait fabriquée avec l'une de ses côtes.

Pour communiquer avec les ancêtres, les Aborigènes couvrent leur corps de peintures rituelles et organisent des cérémonies au cours desquelles ils chantent et dansent.

Un jour, Kambel entendit des bruits à l'intérieur d'un arbre. Il ouvrit l'arbre, d'où sortirent les premiers hommes.

BAIAMÉ Dieu créateur et héros céleste dans la tradition australienne. Il est connu sous d'autres noms : Daramouloun, Ngouroundéri ou encore Bounjil. On lui attribue la création des cours d'eau, des collines et des arbres.

•

BOUÉ Héros civilisateur de la mythologie micronésienne, aux îles Gilbert. Fils du soleil et d'une mortelle, il demanda à son père de lui enseigner la sagesse. Celui-ci lui apprit le travail artisanal, les rites et la météorologie. Le héros transmit ensuite toutes ses connaissances à son peuple.

•

CARGO Le « culte du cargo » est une croyance récente, apparue d'abord en Papouasie-Nouvelle-Guinée en 1920 et qui persiste chez certains peuples de Mélanésie. Ses adeptes sont convaincus que les dieux désirent leur rendre une part des richesses possédées par les Occidentaux. Selon cette croyance, un jour viendra un navire dont l'équipage sera constitué des esprits des ancêtres, qui apporteront avec eux de merveilleux présents.

•

DJANGGAWOUL Désigne une trinité formée par deux sœurs et un frère, esprits célestes australiens qui peuplèrent le continent. Les sœurs, fecondées par leur propre frère, mirent à chaque instant des enfants au monde, dotant ainsi le pays de ses habitants. On leur attribue aussi la création des sources, des plantes et des arbres. Les hommes leur sont également redevables des emblèmes sacrés et des rites.

Cette peinture orne une embarcation aborigène et représente les sœurs Djanggawoul mettant au monde les premiers hommes.

GOUNABIBI Déesse-mère vénérée dans le nord de l'Australie, en Terre d'Arnhem. De son corps elle fit la terre et enfanta les hommes, les animaux et les plantes. Elle est également déesse de la mort qui engloutit les enfants et les jeunes gens. Ceux qu'elle recrache, leur accordant ainsi une seconde naissance, sont initiés.

•

HINÉ-TITAMA et **HINÉ-NOUI-TÉ PO** Épouse de **TANÉ** dans la mythologie polynésienne. Un jour, à sa grande honte, elle découvrit qu'elle était également fille de son époux et se réfugia, horrifiée, au royaume des morts. C'est ainsi que Hiné-titama, la jeune aurore, devint la redoutable Hiné-noui-té Po, ou Hiné, déesse de la nuit et de la mort. On dit aussi qu'elle se rendit en barque sur la lune, dont elle devint la déesse. Par pleine lune, on peut la voir battre une écorce.

IO Dieu tout-puissant dans la tradition des Maoris. Certains pensent que son importance assez récente reflète surtout l'influence du monothéisme chrétien.

•

IWA Héros de la mythologie hawaïenne qui possédait, selon sa légende, une pagaie dont quatre coups lui suffisaient pour se rendre d'un bout à l'autre de l'île.

•

KAMBEL Dieu du ciel en Papouasie. Il entendit un jour des bruits provenant du tronc d'un arbre. À l'intérieur se trouvaient en fait les premiers hommes. Kambel fendit le tronc et libéra les hommes. Par la suite, le dieu aperçut un objet brillant qui s'échappait de l'arbre. Il essaya de l'atteindre, mais l'objet lui échappa et devint la lune.

•

LÉGOBWOUB Déesse créatrice en Micronésie et épouse du dieu du ciel Önoulap. Les habitants de l'archipel de Truk lui attribuent la création de leurs îles, ainsi que celle des hommes, des plantes et des animaux.

•

MAKÉ-MAKÉ Dieu créateur sur l'île de Pâques. Il créa les hommes et se trouva également au centre du « culte de l'oiseau ». Chaque année, le premier homme qui trouvait un œuf d'oiseau devenait homme-oiseau jusqu'à l'année suivante. On lui rasait le crâne, on lui épilait les sourcils et les cils, et on le portait en procession au pied de la montagne, jusqu'à un endroit où il devait vivre en ermite pendant un an.

•

MAOUI Le plus populaire des héros polynésiens, qui mit sa ruse et son habileté au service des hommes. À l'aide d'un hameçon magique, il pêcha les îles de Polynésie au fond de l'océan. C'est lui aussi qui captura le soleil avec une corde pour le contraindre à ralentir sa course dans le ciel, afin de rallonger le jour. Le héros perdit toutefois la vie en essayant d'obtenir l'immortalité pour les hommes. En compagnie de ses amis les oiseaux, Maoui se rendit au royaume des morts, où il trouva **HINÉ-NOUI-TÉ PO** endormie. Après avoir recommandé aux oiseaux de se retenir de rire, il se glissa dans le corps de la déesse.

Son dessein était de ressortir par sa bouche, mais le spectacle de son entreprise était si désopilant que l'un des oiseaux ne put s'empêcher de rire. Hiné-noui-té Po se réveilla et Maoui fut broyé à l'intérieur de ses entrailles. C'est ainsi que les hommes furent condamnés à demeurer mortels.

•

NAKAA Juge primordial dans la mythologie des îles Gilbert, en Micronésie. Il demeurait au paradis de Matang, où hommes et femmes vivaient séparés. Chacun des deux sexes possédait un arbre. Un jour où Nakaa s'absenta, les hommes lui désobéirent et se rendirent auprès des femmes. Leurs cheveux devinrent gris, et Nakaa s'aperçut de la transgression dès son retour. Il décida de bannir les hommes mais leur accorda d'emporter l'arbre de leur choix. Ils choisirent l'arbre des femmes, qui représentait la mort. Nakaa en arracha les feuilles et les jeta sur les hommes. Depuis lors, la maladie et la mort sévissent sur le monde.

•

NAREAU Dieu suprême en Micronésie, parfois décrit comme deux divinités distinctes, père et fils. Leur nom signifie « Seigneur Araignée », et c'est sous cet aspect qu'ils sont évoqués. Nareau présida à la création, dont un épisode fut

Chaque année, les habitants de l'île de Pâques avaient coutume de porter en procession l'homme-oiseau jusqu'à l'endroit où il vivait en ermite, pendant une année entière, au pied de la montagne.

151

la séparation du ciel et de la terre opérée par Riiki, l'anguille. Selon certains récits, Nareau créa les îles de Tarawa, Beru et Tabiteuea en jetant des fleurs dans la mer.

•

OLOFAT Héros de la mythologie micronésienne, fils d'une mortelle et du dieu du ciel, Louk. Personnage malicieux et rusé, il joua le rôle de messager, portant aux hommes les ordres de son père, non sans y ajouter parfois quelque tour à sa façon. Dans un esprit plus constructif et civilisateur, il fit don du feu aux hommes, après l'avoir subtilisé à l'oiseau qui le tenait dans son bec.

•

PAPA et **RANGI** Dans la mythologie de la Polynésie orientale et de la Nouvelle-Zélande, Papa était la Terre-Mère et Rangi le Ciel-Père du récit de la création. Rangi tenait Papa embrassée dans une étreinte qui semblait ne jamais devoir finir, si bien que les enfants de Papa demeuraient prisonniers à l'intérieur de leur mère. Les dieux ainsi retenus ne parvenaient pas à naître aussi décidèrent-ils de séparer leurs parents de force. Leur fils **TANÉ**, dieu des forêts, souleva de sa tête son père le ciel, repoussant de ses pieds sa mère la terre.

•

PÉLÉ Déesse hawaïenne des volcans, séjournant dans le cratère du Kilauea. Selon un récit, elle envoya sa sœur Hi'iaka chercher son amant Lohiau. Mais tandis qu'elle attendait, Pélé éprouva des soupçons et décida de les tuer tous les deux. Lohiau mourut, mais Hi'iaka survécut et partit à la recherche de son esprit, auquel elle rendit la vie en l'unissant à son propre corps.

•

QAT Héros mélanésien, dont certaines des aventures rappellent celles de **MAOUI**. Qat naquit d'un rocher, sur l'île de Vanua Levu, aux Fidji. Dans les récits, il est toujours le compagnon de Marawa, l'araignée. Tandis que Qat introduit la vie, Marawa apporte la mort. Tous deux sont associés à la construction des embarcations et à la navigation.

•

RANGI (voir **PAPA**)

Aux premiers temps, Papa et Rangi demeuraient étroitement embrassés. Leurs enfants, les dieux, se trouvaient dès lors emprisonnés, jusqu'au jour où leur fils Tané parvint à les séparer.

Selon un récit, Pélé, délaissée par son époux, pleura tant et tant qu'Hawaii en fut submergée. Seuls les plus hauts sommets émergèrent de cet océan de larmes.

TAKARO Héros mélanésien, qui ressemble à **QAT** par maints côtés. Il aperçut un jour une jeune vierge céleste qui se baignait : il lui vola ses ailes et en fit son épouse. Il la mit ensuite au travail dans un champ d'ignames. Des ignames parfaitement mûres lui tombèrent dans les mains, mais les frères de Takaro refusèrent de croire qu'elles étaient mûres et la grondèrent. Elle en pleura tant et tant que ses larmes lui firent découvrir ses ailes cachées. Elle prit son vol vers le ciel, emportant son enfant avec elle. Takaro essaya de la rattraper en grimpant à une racine de banian, mais la jeune femme coupa la racine et Takaro fit une chute mortelle.

•

TANÉ Dieu des forêts en Polynésie, protecteur des ouvrages en bois, constructions et embarcations. Fils de **PAPA** et de **RANGI**, c'est lui qui sépara le ciel de la terre, orna les cieux d'étoiles et y plaça le soleil et la lune. Il eut ensuite besoin d'une épouse : il façonna une femme dans de l'argile, puis lui insuffla la vie. Il nomma la femme Hiné et l'épousa. Leurs enfants furent les ancêtres des Polynésiens. Tané épousa également l'une de ses filles, **HINÉ-TITAMA**.

•

TANGAROA Dieu de la mer dans la mythologie polynésienne. Au commencement, seul existait l'océan. Tangaroa envoya un oiseau nommé Touli explorer les eaux, mais l'oiseau ne trouva aucun endroit où se poser. Le dieu lança alors un rocher dans l'océan, qui devint la première île. Puis l'oiseau se plaignit du soleil et Tangaroa fit pousser une plante feuillue pour lui donner de l'ombre. Cette plante finit par mourir et se décomposa. Des asticots apparurent, qui devinrent les premiers hommes.

●

TAOUHAKI Grand héros polynésien et grand-père d'un autre héros, Rata. Certains disent que sa mère était une déesse, mais on le présente généralement comme un homme d'un courage exemplaire et d'une grande noblesse.

●

TAOUHIRI Dieu polynésien des vents et des tempêtes, fils de **PAPA** et de **RANGI**. Il lui déplut de voir ses parents séparés de force, aussi déchaîna-t-il les vents contre les forêts de **TANÉ** et sur les mers de **TANGAROA**, dieu de l'océan. Des reptiles de l'océan de Tangaroa se réfugièrent dans les forêts de Tané et, depuis lors, les deux dieux sont ennemis.

●

TOU Dieu de la guerre chez les Polynésiens, fils de **PAPA** et de **RANGI**. À Hawaii, on l'appelle Kou. Il combattit **TAOUHIRI**, puis s'en prit à ses autres frères, qui ne lui étaient pas venus en aide. C'est ainsi que commencèrent toutes les guerres.

WAOUWÉLAGS Deux sœurs célestes dans la tradition australienne. Tandis qu'elles voyageaient avec leurs enfants, elles offensèrent le grand Serpent Arc-en-ciel, **YOURLOUNGGOUR**, en souillant par accident la source dans laquelle il séjournait. Elles chantèrent et dansèrent pour tenter d'apaiser le monstre, mais il les engloutit ainsi que leurs enfants. Plus tard, le Serpent régurgita les sœurs et des fourmis vertes les piquèrent, les faisant revenir à la vie. Toute leur histoire est rituellement jouée et chantée par les tribus de la Terre d'Arnhem.

●

YABWAHINÉ Dieu du ciel en Mélanésie, qui apprit aux hommes quels animaux chasser et leur enseigna la manière de cultiver un jardin.

●

YOURLOUNGGOUR L'un des multiples noms du grand Serpent Arc-en-ciel des Australiens. Les récits ne concordent pas tous quant au sexe du serpent. En Terre d'Arnhem, il est parfois l'une des formes que revêt la déesse **GOUNABIBI**. Le Serpent, comme tous les esprits célestes, a pris part à la création du grand paysage de la terre, notamment des sources et des rivières. Très attaché à la survie de l'espèce humaine, il est associé aux rites de fertilité.

Cette peinture rupestre représente le grand Serpent Arc-en-ciel, l'un des ancêtres qui firent apparaître les cours d'eau dans les terres arides. Dans certains récits, le Serpent provoque un grand déluge, sous lequel disparaît le monde précédant le nôtre. Le serpent, dont le corps se déploie tel un arc-en-ciel, est sans doute l'un des esprits ancestraux les plus vénérés de la mythologie aborigène. Il a reçu différents noms, dont celui de Yourlounggour.

GLOSSAIRE

ÂME Principe de vie et de pensée de l'homme. L'âme est considérée comme **IMMORTELLE**. Au moment de la mort, elle quitte le corps pour aller au **CIEL** ou en **ENFER**. Pour certains peuples, elle se **RÉINCARNE**, c'est-à-dire qu'elle entre dans un nouveau corps pour commencer une nouvelle vie.

•

AVATAR Chacune des incarnations de Vishnou et, plus généralement, des **DIVINITÉS** hindoues.

•

CIEL Avec le paradis, il désigne en général le séjour des dieux et des déesses, un lieu de paix et d'harmonie situé au-dessus du monde, mais aussi parfois le séjour des **ÂMES** de ceux qui ont mené une vie exemplaire.

•

CHAOS État de l'univers avant la création, caractérisé par un espace informe dans lequel les éléments naturels sont confondus.

•

CHAMAN Prêtre-magicien qui entre en communication avec les esprits en utilisant les techniques de la transe et de l'extase. Selon les civilisations, le chaman est guérisseur, devin ou chef spirituel.

•

CHARME Enchantement, procédé dans lequel intervient la magie.

•

CULTE Hommage rendu à une divinité par une cérémonie ou un rite. C'est également le nom donné à cette cérémonie (par exemple : le culte de l'oiseau, dans l'île de Pâques).

•

DEMI-DIEU Héros, fils d'un dieu et d'une mortelle, ou inversement.

DÉMON C'est un **ESPRIT** maléfique, ennemi du bien.

DIVINITÉ Être divin, sacré, dieu ou déesse.

DIVINATION Art du devin, qui consiste à connaître ce qui est caché et, en particulier, de prévoir l'avenir.

•

ENFER(S) Séjour des **ÂMES**, ou séjour des morts. En général, on le situe sous terre. Selon les croyances, il s'agit soit d'un lieu où vont, après la mort, toutes les âmes sans exception, soit d'un lieu d'horreur et de tourments destiné aux âmes de ceux qui ont fait le mal. Dans de nombreuses croyances, c'est l'endroit où sont jugées les âmes.

•

ESPRIT Principe vital, qui peut être associé au corps, mais aussi s'en séparer pour devenir, dans certaines croyances, un être **SURNATUREL**.

•

GUÉRISSEUR Personne qui guérit en utilisant des connaissances ou des dons particuliers, par exemple un **CHAMAN**.

•

KAMI Être surnaturel ou **DIVINITÉ**, dans la tradition japonaise du shintô, et qui habite tout élément de la nature.

•

LÉGENDE Récit dans lequel le merveilleux et l'exagération s'ajoutent aux faits ayant réellement existé.

•

MÉTAMORPHOSE Changement d'une forme en une autre, humaine animale, végétale ou même spirituelle.

•

ORACLE Lieu où les divinités font connaître leur volonté, par la bouche d'un prêtre ou d'une prêtresse. On appelle également oracle le prêtre ou la prêtresse qui transmet la volonté divine, ou encore le message lui-même.

•

PROPHÉTIE Prédiction d'un événement futur, **ORACLE**, expression de ce qui est invisible.

•

RÉINCARNATION Dans certaines croyances, migration des **ÂMES** dans un autre corps humain ou animal, après la mort, donc une renaissance de l'âme.

RITE(S) et **RITUEL(S)** Actes symboliques qui reflètent les croyances et constituent une pratique, une religion. Les événements importants de la vie — naissance, accès à l'âge adulte, mariage, mort — s'accompagnent souvent de rites.

•

SACRÉ (ou **SAINT)** Ce qui, dans une religion, suscite le plus grand respect et la plus grande vénération.

•

SACRIFICE Offrande **RITUELLE** à une **DIVINITÉ**, en remerciement d'un bienfait (action de grâces) ou dans l'espoir d'obtenir sa bienveillance (sacrifice propitiatoire). Certains peuples ont pratiqué des sacrifices humains ou animaux, mais le plus souvent les offrandes sont des fruits ou des gâteaux.

•

SANCTUAIRE Édifice ou lieu **SACRÉ** en raison de son lien avec une personne, une divinité ou un événement jouant un rôle important pour une religion.

•

SURNATUREL Qui dépasse les lois de la nature et relève du spirituel, voire de la magie.

•

TABOU Interdit religieux qui frappe un être, un objet ou un acte en raison de son caractère **SACRÉ** ou impur.

•

TOTEM Objet ou animal **SACRÉ** considéré comme l'ancêtre primordial d'un individu ou d'un groupe. Désigne aussi sa représentation, symbole protecteur du groupe.

•

TRADITION Coutumes, **LÉGENDES**, et mythes transmis de génération en génération. Ils constituent la culture d'une communauté, qu'il s'agisse d'une famille, d'un clan, d'une tribu ou d'un peuple.

L'éditeur adresse tous ses remerciements aux dessinateurs qui ont contribué au présent ouvrage, et dont les noms suivent, accompagnés de l'indication des pages où apparaissent leurs illustrations
(h = en haut ; d = à droite ; g = à gauche ; b = en bas) :

Hemesh Alles (Maggie Mundy) 94, 102-103, 104-105, 106-107, 108 ;
Karin Ambrose 134h ; David Anstey 16, 32h, 55h, 58b, 66hg, 72h
78h, 102h, 116h, 122hg, 138h ; Marion Appleton 109; Noel Bateman 51b ; Richard Berridge (SPECS) 46-47, 48-49, 96h, 97, 124-125, 134-135b, 136-137 ; Maggie Brand (Maggie Mundy) 82 ;
Vanessa Card pour toutes les frises et 73h, 74b ; Peter Dennis (Linda Rogers Assoc.) 28-29, 30-31, 36-37, 38-39, 40-41, 44-45, 50, 51h, 52, 53b, 98-99 ; Alan Fraser (Pennant) 18-19, 75, 76-77 ; Eugene Fleury pour toute la cartographie ; Terry Gabbey 70 ; Donald Harley (B L Kearley Ltd) 78-79, 84-85, 86-87, 88-89, 90-91, 92-93, 95 ; Adam Hook (Linden Artists) 23, 33b, 34, 66-67, 67, 122hd, 123, 139b, 145-147, 148_149, 150-151, 152-153 ; John James (Temple Rogers) 27 ; Roger Jones (SPECS) 35, 68-69, 128b, 129b, 130-131, 132-133, 138b, 140-141, 142-143 ; Kevin Maddison 53h ;
Angus McBride (Linden Artists) 113b, 72-73b, 74 ; Nicki Palin 116hd, 117b, 118, 120-121 ;
Mark Peppé 16-17 ; Bernard Robinson 21, 22, 24-25, 26, 26-27, 70-71 ; Tony Smith
(Virgil Pomfret) 83b ; Andrew Wheatcroft (Virgil Pomfret) 56-57, 58h, 59, 60-61, 62-63 ;
Paul Young (Artist Partners) 110-111, 112-113, 114-115.

L'éditeur souhaite également remercier, pour les photographies contenues dans le présent ouvrage :

14 ZEFA ; 15 Comstock ; 16 WFA ; 22 WFA ; 33 Larousse PLC/Musée National, Copenhague ;
42 WFA/Statens Historistika Museum ; 43 WFA ; 45 WFA ; 54 Andoni Canela/TRIP ; 55 ZEFA ;
57 WFA ; 64 Cracknell/TRIP ; 65 ZEFA ; 73 WFA/Collection privée ; 100 ZEFA ;
101 ZEFA ; 119 Michael Holford ; 125 WFA/Denpasar Museum, Bali ;
126 ZEFA, 127 ZEFA ; 144 C M Dixon ; 145 ZEFA ; 152 Michael Holford.

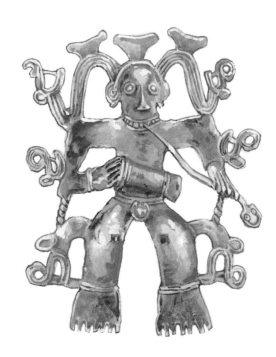